W9-BRD-501

Mi Ángel

DE LA GUARDA

LOS ANGELES, NUESTROS GUARDIANES

Los ángeles son seres espirituales que nos ayudan, nos guían, nos sanan, nos cuidan y su existencia es una verdad de fe, ya que sólo la fe puede proporcionar al Hombre la certeza de lo que no puede comprobar científicamente.

Sin embargo, los ángeles están, y acompañan no solamente a quienes creen en ellos, sino a los que están dispuestos a negar eternamente su existencia.

Los seres humanos solemos limitarnos a lo que determinan nuestros cincos sentidos. En comparación con los millones de personas que viven sobre nuestro planeta, no resultan tantas las que se cuestionan qué hay más allá de lo que podemos ver, oír, oler, escuchar y palpar.

Nuestros sentidos son meramente una ventanita por la cual vemos un mundo limitado y relativo. William Blake, poeta inglés del siglo XVIII dijo:

"Si las puertas de la percepción se abrieran, todo aparecería al ser humano tal y como es: infinito. Dado que el hombre se ha limitado a sí mismo, divisando las cosas a través de las estrechas rendijas de su propia caverna".

Y en ese infinito casi desconocido, habitan los ángeles.

La palabra "ángel" viene del latín "ángelus", del griego "aggelos", e inicialmente de una palabra hebrea que significa "uno que va", o "enviado" o "mensajero".

Mensajeros de la luz divina, constituyen un "ejército" de miríadas (millones de millones) y son seres creados antes que el ser humano. Pero mientras que los ángeles fueron creados perfectos, los seres humanos fueron creados para desarrollar su perfección. Esto rechaza la creencia de algunas personas que piensan que al morir uno puede transformarse en un ángel o en un demonio, según como haya vivido. El ángel no es el alma, es un ser superior que vela por nuestras almas.

CAPITULO 1

QUIENES SON LOS ANGELES

"Siempre que tengo que afrontar una entrevista difícil, le digo a mi ángel de la Guarda: Ve tú primero, ponte de acuerdo con el ángel de la Guarda de mi interlocutor y prepara el terreno. Es un medio extraordinario, aún en aquellos encuentros más temidos o inciertos".

JUAN XXIII

Los ángeles son los intermediarios de Dios, espíritus puros, energía celestial, creados como seres inmaterializados. Su vibración es tan alta y por lo tanto, tan diferente a la del ser humano, que nos es imposible visualizarlos a menos que ellos mismos decidan corporizarse en algún momento y con determinado propósito.

Son fuertes centros energéticos y a lo sumo, en algún momento de profunda concentración, podremos percibir su luminosidad.

Sin embargo, hay quienes los han visto y los describen con caras humanas y aseguran también haber observado en ellos algunos signos gestuales. Son muchas las razones que pueden tener estas corporizaciones y entre tantas podríamos, dependiendo del caso, suponer que el ángel tenía la necesidad de hacerse entender más concretamente o que sabía que esa persona estaba dudando sobre su guía.

Aquellos que han pasado por situaciones límites sin abandonar su fe, son más propensos a recibir una ayuda de "un ángel en la Tierra". ¿Qué significa esto? Que el ángel que acudió en su auxilio necesitó corporizarse para completar su obra. En muchas oportunidades, y por más que nos entreguemos a la fe y sigamos paso a paso la guía de los ángeles, se necesita algo más, algo ajeno a nosotros, algo que no está a nuestro alcance conseguir.

Pongamos el ejemplo de un familiar internado de urgencia. He hecho todo lo posible para que esté bien atendido. Con mis rezos hasta he conseguido que el mejor médico especialista que se necesitaba vuelva "milagrosamente" antes de sus vacaciones. Pero para salvar a nuestro enfermo se necesita, además, un medicamento muy difícil de conseguir en nuestro país. Salgo a la calle y desesperado, voy recorriendo farmacias y acumulando negativas. De pronto, en uno de los locales, un hombre que espera ser atendido me escucha hablar con el farmacéutico y me dice: - No pude evitar el escuchar su conversación. Yo le hacía traer este remedio a mi madre desde otro país y ahora

En tiempos de inseguridad y violencia, nuestro Angel de la Guarda nunca nos abandona y siempre está dispuesto a salvarnos porque para eso lo creó Dios.

que ella ya no está, me han quedado muchas dosis. Quédese acá, enseguida se las traigo.

El hombre vuelve con el medicamento, lloro agradecido, y en el momento en que me distraigo al buscar un pañuelo para secar mis lágrimas, levanto los ojos y ese hombre ha desaparecido. El farmacéutico no lo conoce. Salgo a la calle y no está.

Era un ángel. *¿Cómo podría haberme acercado el remedio si no fuera poniéndolo en las manos de una persona?*

LA EXPERIENCIA DE VER UN ANGEL

Dicen que nada produce un cambio tan profundo como el haber visto a un ángel. Que quien lo ha experimentado, sin proponérselo conscientemente, vuelca su existencia a una espiritualidad profunda, adentrándose en la ayuda humanitaria y construyendo su vida dentro de los caminos de la bondad. Esto significa, ni más ni menos, que la elevación del alma hacia la perfección de Dios, el objetivo primitivo de los ángeles que se manifiesta en su ayuda y protección.

Ellos viajan en el espacio infinito, donde el tiempo no existe. Sólo los seres humanos dividimos el tiempo en segundos, minutos, días, semanas, meses, años y más y más medidas totalmente relativas. Para los escépticos sobre este tema, que siguen creyendo que el tiempo existe, solo basta con pensar en las medidas que se hacen respecto de la Tierra con las estrellas. Se miden en años luz, medida de tiempo sideral que hace que lo que sucedió hace una infinidad de tiempo esté, para nosotros los humanos, sucediendo en este momento. Por lo tanto, podemos concluir en que el tiempo no existe como lo pensamos. Y por eso, los ángeles, que pertenecen a esa infinitud, pueden con nuestro sólo pensamiento acercarse a nuestro lado y buscar las soluciones a nuestros problemas aunque éstas estén en la otra parte del mundo, o lejanas para nosotros en el tiempo.

¿Nunca se preguntó por qué a veces ni sabe cómo se salvó de alguna desgracia? La gente que maneja autos habitualmente puede, por ejemplo, contar que por lo menos una vez le ha pasado esto: uno va manejando, consciente del camino, de los semáforos, de los otros vehículos; pero de repente, uno se pregunta...¿ya estoy aquí? ¿Y cómo llegué? Dios mío, menos mal que no hubo nada que me pusiera en peligro en todas estas cuadras, mientras yo estaba tan distraído! Es en momentos como ésos en que los ángeles tomaron el mando mientras usted manejaba automáticamente.

"Claro", dirán los escépticos...*¿y cuando choca un auto? ¿Dónde están los ángeles en ese momento?*

La explicación está en cómo manejamos nuestra vida. Si un ángel me ha cuidado de muchos peligros y problemas y yo no aprendo de mis errores, y vuelvo a reaccionar de una manera incorrecta, no podrá evitar la ley de la creación. En nuestras vidas, todo lo que nos presenta es una prueba a pasar. Si desoímos los consejos de los ángeles y caemos en el error, el mismo tipo de problema se presentará una y otra vez hasta que aprendamos la lección. Por supuesto, si no la aprendemos entonces, viviremos la vida entera quejándonos de "nuestra mala suerte" y de que "a mí siempre me pasa lo mismo". Y claro, a veces, las pruebas implican peligro de vida; y si insistimos en el error, pagaremos el precio.

Los ángeles están siempre a nuestro servicio para protegernos y guiarnos, aún junto a quienes no creen en ellos y también junto a los que viven delinquiendo, y alejándose cada día más de la Luz. Una mala acción es un velo que cubre al ser humano, y si la repite, el velo cada vez se irá espesando, dejándolo en la total oscuridad. Desde allí, no se puede casi nunca sentir la guía que acercan los ángeles. Pero ellos están.

Los hombres hemos sido creados con libre albedrío y esto significa que estamos capacitados para poder elegir. Podemos elegir el bien, o podemos elegir el mal.

El mal no es privativo sólo de los delincuentes. Nosotros mismos, personas consideradas "normales", vivimos en una continua elección de optar por el mal o por el bien. Por ejemplo, el juzgar, el criticar, el divulgar falsedades, decir mentiras, la ira, son formas del mal. Una tras otra, se nos presentan situaciones donde hay que decidir cómo actuar, según nuestro libre albedrío, y siempre hay un ángel a nuestro lado diciéndonos cómo elegir la mejor opción, y tratando de salvarnos de caer en el mal.

COROS ANGELICOS

Dionisio Areopagita, cinco siglos después de Cristo, escribió lo que hasta hoy sigue siendo el tratado más famoso sobre los ángeles. En su libro, y basándose en sus estudios de los libros sagrados, habla de "jerarquías angelicales". Esta visión de que los ángeles están organizados en posiciones diversas, ha sido ampliamente aceptada, pero nunca ninguna religión la ha considerado legalmente como una verdad de fe.

Cuando nuestro Angel se manifieste y podamos conectarnos conscientemente con él, iniciaremos una nueva etapa en nuestras vidas.

De acuerdo a este tratado, existen nueve órdenes de ángeles: Ángeles, Arcángeles, Virtudes,

JERARQUIAS	ANGELES
Primera Jerarquía:	Serafines, Querubines y Tronos
Segunda Jerarquía:	Dominaciones, Virtudes y Potestades
Tercera Jerarquía:	Principados, Arcángeles y Ángeles

Potestades, Principados, Dominaciones, Tronos, Querubines y Serafines. Estas órdenes están divididas en jerarquías, según su proximidad a Dios:

La división de estas jerarquías de ninguna manera le otorga a unos más importancia que a otros, sino que establece una vibración más sutil a medida que su ubicación se acerque al Ser Supremo. De acuerdo con esto, el primer paso de la ascensión de nuestras almas en el camino a la perfección es el hecho de llegar a comunicarse con la tercera jerarquía; y las almas muy evolucionadas, como las de los santos, ya estarían en un estrato superior.

Cada orden, recibe la influencia de su jerarquía superior y así sucesivamente hasta llegar a los ángeles que conforman el séquito más próximo al Creador.

En el Árbol de la Vida, indicado en el Zohar (libro hebreo que profundiza en los orígenes de la Creación), como el camino de ascensión del alma hacia la Luz, también hay nueve sefirot (esferas- pasos- peldaños) que llevan a la última, la más elevada, la décima sefirá, que es Kéter, El Supremo. Si unimos ambas doctrinas, coinciden en la división de las distintas jerarquías del tratado de Dionisio.

Así, la tercera jerarquía corresponde a Maljut, la esfera inferior, el nivel desde donde parte el alma del ser humano hacia su ascenso.

Dios les ha encomendado a los arcángeles las misiones más importantes en relación a los hombres; pero en la Biblia solamente se le otorgan nombres a tres

Arcángeles: Miguel, Gabriel y Rafael, nombres que designan sus atributos.

Al Arcángel Miguel se lo representa como un guerrero, espada en mano, el paladín de la justicia, y su nombre significa "quien como Dios". Miguel lleva a en su energía las virtudes de la fe, el poder, la fuerza y el equilibrio. De tal manera, su invocación es primordial en aquellos momentos donde existen decisiones muy importantes para realizar, y también, para buscar en este arcángel protección contra cualquier tipo de peligro.

El Arcángel Gabriel es, desde su nombre, " la fortaleza de Dios". Tiene como virtudes a la pureza, la resurrección y la ascensión. En momentos de gran abatimiento, estados depresivos, cuando se sienta alejado de la sabiduría divina y el amor de Dios, no deje de invocarlo para obtener todo el consuelo y el alivio que necesita.

El nombre del Arcángel Rafael quiere decir "medicina de Dios", como significado de "el que cura". Entre las virtudes de Rafael está la de elevar la verdad por sobre todas las cosas, la de disipar sospechas, todo tipo de mentiras y es el gran colaborador en los momentos en que la salud flaquea ya sea física, mental o espiritualmente, y por supuesto, debe invocárselo para la curación de una enfermedad. Se entiende, entonces, por esta división, que los ángeles forman grupos diferenciados entre sí no por su inteligencia y capacidad de ayuda, que en todos los casos es infinita, sino por sus niveles vibratorios. Según los libros sagrados, estos coros de ángeles completan la vibración básica del Universo.

EL ANGEL GUARDIAN

Existe la creencia de que los llamados tanto "Ángeles Guardianes", como "Ángeles de la Guarda" o también "Ángeles Custodios" son ángeles que nos cuidan de pequeños. Quizás esto se deba a que quien no perseveró en su contacto con los ángeles recuerda este concepto como una historia de niños y que, como tal, se terminó con la infancia. O también, por una mala interpretación de las palabras de Jesús, hablando de los más pequeños:

"Sus ángeles en los cielos ven siempre la faz de mi Padre que está en los cielos" .

Mas luego, en las Sagradas Escrituras vuelven a mencionarse muchas veces a esos ángeles en varias etapas de la vida. La verdad de fe es que nuestro ángel Guardián nos acompaña durante toda nuestra vida.

En el momento preciso de ser concebidos se nos es asignado un ángel para que nos proteja, nos guíe y nos acompañe en todos los momentos de nuestra existencia, aún en nuestros sueños. Todos los seres humanos poseemos nuestro propio Ángel Guardián, no importa nuestra religión, raza o cultura.

"Grande es la dignidad de las almas cuando cada una de ellas, desde el momento de nacer, tiene un ángel destinado para su custodia".
San Jerónimo

Nuestro Ángel Guardián tiene una misión asignada por Dios y no abandona nunca su tarea. Así, nos acompaña por la vida, cuidándonos de los peligros terrenales tanto como los del alma, del cuerpo y de nuestras relaciones. Está a nuestro lado incondicionalmente y si pecamos, ni eso lo hace desprenderse de nuestro lado.

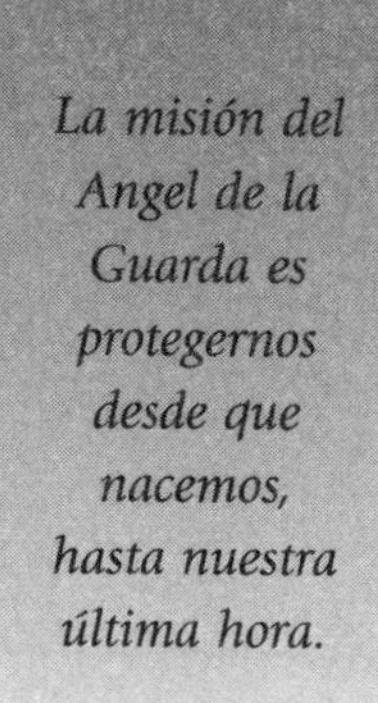
La misión del Angel de la Guarda es protegernos desde que nacemos, hasta nuestra última hora.

Es todo amor, aunque no creamos en él; es paciente, aunque tardemos toda una vida en aceptar su guía; es constante, aunque nos equivoquemos una y otra vez; es sabio porque posee la inteligencia divina y resume en él todo lo que necesitamos para el paso por el mundo; porque nuestro Ángel Guardián ha sido creado perfecto.

Desde el año 800 ya existía una celebración anual para el Ángel de la Guarda, pero recién en 1608 el Sumo Pontífice designó el día 2 de Octubre como celebración oficial de la Iglesia del Día de los Ángeles Custodios. En ese día, la fuerza de la oración conjunta otorga una energía potenciada a nuestro contacto, pero todos los días del año debemos reforzar la relación con nuestro ángel.

COMO RECONOCERLOS

No hay una manera única de percibir a los ángeles. Se nos presentan en condiciones muy suyas, con apariencias que son sumamente personales según cada individuo... Puede tratarse de una luz, forma, movimiento, sonido o aroma. Algunos creen que se hallan protegidos por ángeles porque en momentos precisos han sentido un suave roce sobre sus hombros e incluso una fuerte presencia que hace que busquen a alguien inexistente a su alrededor. Otras veces nuestros guardianes se presentan como visiones, sueños o adoptando la forma de animales, luces en el agua, y también personas que jamás volveremos a encontrar.

Cada vez que nos rozan con sus alas silenciosas siempre se trata de una comunicación, porque ellos ante todo son mensajeros. Por eso es muy común que se manifiesten como un pensamiento que asalta a nuestra mente, como la voz de la conciencia. Luego de cualquiera de estas experiencias se siente una gran serenidad, confianza y alegría, porque su mensaje es de ayuda, protección y felicidad. Pero si nuestro corazón no está abierto, si estamos aturdidos por el ruido exterior; no podremos reconocerlos ni escucharlos.

La actitud más importante para atraer a los ángeles es la del optimismo, la felicidad y el amor incondicional.

ENVIADOS CELESTIALES

La tradición católica asigna, por lo menos, un ángel de la Guarda a cada persona. La hebrea, en cambio, es mucho más generosa, ya que habla de cientos de ellos, que son otorgados al nacer un niño.

Si bien un solo ángel se designa como custodio personal, junto a él se presentan numerosos seres lumínicos, ángeles específicos que ayudan al ángel personal a cumplir su misión, aportándole diferentes vibraciones de conocimiento angélico.

Existen legiones de espíritus angélicos dedicados a diversas labores relacionadas con el ángel de la guarda. Algunos de los que colaboran con el custodio personal son:

Angeles de la alegría, sanadores, reconciliadores, que alivian el dolor; que ayudan en los estudios, de la amistad, que refuerzan el valor; de la paciencia, de la esperanza, que asisten a los moribundos, del perdón, de la prosperidad económica, de la inspiración artística, etc.

CAPITULO 2

CONOCER E IDENTIFICAR AL ANGEL PERSONAL

"Grande es la dignidad de las almas cuando cada una de ellas, desde el momento de nacer, tiene un ángel destinado para su custodia".
SAN GERÓNIMO

Su Ángel Guardián forma parte de su vida, aunque usted no pueda verlo. Esa voz que le habla al alma y lo acaricia con su consuelo, esa fuerza que lo lleva a esquivar las piedras del camino, es su Ángel Custodio.

Es su fiel compañero en todo momento, tanto si cree en él como si no, y siempre, aunque usted no sepa su nombre.

En el Nuevo Testamento se narra que los discípulos de Jesús estaban reunidos cuando San Pedro llamó a la puerta luego de ser sacado de la cárcel.

Ellos, en un principio, no creían que fuera Pedro mismo quien tocaba a la puerta y dijeron: "será su ángel". Existen muchas citas más que se podrían dar, pero nunca mencionan el nombre de los Ángeles Guardianes y sólo mencionan por su nombre a tres de los Arcángeles: Miguel, Gabriel y Rafael.

En cambio, en la Kabbalah (o Cábala, como se la conoce popularmente) los hebreos analizan los códigos secretos del Antiguo Testamento para brindar un análisis filosófico, numérico y esotérico de la Creación y en este tema, dan un nombre a cada uno de los ángeles asignados para la custodia de los seres humanos.

Allí se afirma que Dios está rodeado por 72 atributos, también llamados "los 72 nombres de Dios" . Así se conforman las 72 cualidades que están a disposición de los seres humanos para ascender en su evolución espiritual, y que están representados en 72 ángeles. Sus nombres también han sido otorgados de acuerdo a su atributo y sus terminaciones corresponden siempre a referencias a los diferentes apelativos de Dios.

Cada uno de estos ángeles corresponde a las influencias zodiacales y tiene incidencia sobre 5 días , con lo cual cada persona posee la energía de uno de estos ángeles desde el preciso momento de su nacimiento.

Veamos entonces el cálculo siguiente :

72 ángeles x 5 días = 360 días.

Esta cuenta, que no coincide con los 365 o 366 días del año calendario que utilizamos, se debe a que hay 5 fechas en las cuales no se asigna un ángel en especial, dado que los nacidos en esos días deben estudiar la cualidad de cada ángel para determinar con cuál se identifican mejor.

De esta forma, las personas nacidas los días 5 de enero; 19 de marzo; 31 de mayo; 12 de agosto y 24 de octubre, sabrán cuál es su Ángel de la Guarda

La oración es una de las formas más eficaces para que una persona se contacte con su ángel de la Guarda.

solamente después de un trabajo de concentración y conexión.

Cada uno de los 72 Ángeles de la Guarda posee dones especiales que nos trasmite a través de su luz en el momento de nuestro nacimiento. Será nuestro Ángel Custodio en todas las situaciones de nuestra vida; pero además, sus dones imprimirán sellos en nuestra personalidad. De todas maneras, para que se cumpla con la tendencia que marcan esos dones, la persona protegida deberá dejar guiar sus pasos por su ángel. Es así que en muchos casos, lo que es un don, puede recaer en su faz negativa, en personas muy alejadas de la Luz Divina.

También es necesario tener en cuenta que se puede solicitar la ayuda de otro ángel que no sea el custodio propio. Para ello, busque en la guía los atributos de cada uno, para poder invocarlo en caso de necesidad.

Si usted consulta otros textos referidos a los ángeles, verá que en varios casos, los nombres de los ángeles difieren, aunque mínimamente. Esto se debe a la traducción del hebreo antiguo y a su fonetización en español, que cada autor interpreta a su manera.

LOS 72 ÁNGELES DE LA GUARDA

VEHUIAH – El Ángel de la Voluntad

20 de marzo; 1º de junio; 13 de agosto;
25 de octubre; 6 de enero

Vehuiah es el ángel que ilumina allí donde está el problema, para señalar exactamente dónde se encuentra el obstáculo y así poder superarlo.

Otorga voluntad, optimismo y ánimo para seguir adelante con cualquier proyecto o emprendimiento y ayuda en entrevistas de trabajo y exámenes.

Propicia la unidad familiar y la de los amigos.

JELIEL – EL ÁNGEL DEL AMOR Y LA SABIDURÍA
21 DE MARZO; 2 DE JUNIO; 14 DE AGOSTO; 26 DE OCTUBRE; 7 DE ENERO

Jeliel tiene, por su don de Amor y Sabiduría, el de la lealtad y la comprensión de las razones del otro; por eso lleva la armonía adonde hay conflicto y hace prevalecer la verdad donde hubo error. Con su infinito amor, impulsa hacia la caridad. En el matrimonio, colabora con su felicidad y fidelidad.

SITAEL- EL ÁNGEL DE LA VOLUNTAD DE CONSTRUIR
22 DE MARZO; 3 DE JUNIO; 15 DE AGOSTO; 27 DE OCTUBRE; 8 DE ENERO.

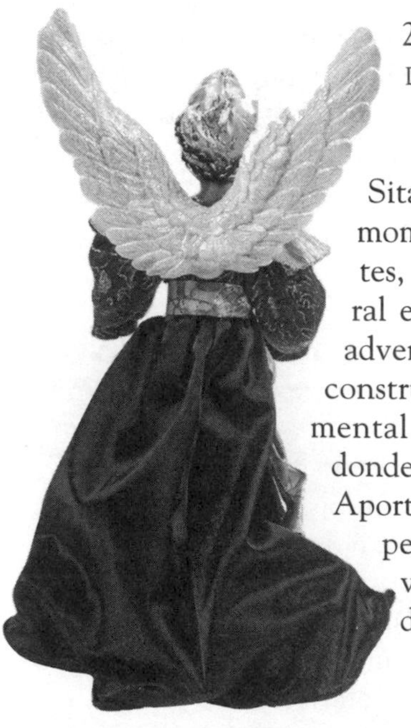

Sitael es el ángel protector en momentos de peligro, accidentes, violencia y robo, y en general es quien acude en cualquier adversidad. Con su voluntad de construir, otorga fuerza física y mental para edificar realidades donde otros no podrían.

Aporta idealismo a nuestra vida, pero con la posibilidad de verlo transformado en realidad.

ELEMIAH – EL ÁNGEL DEL PODER DIVINO PARA CREAR

23 DE MARZO: 4 DE JUNIO; 16 DE AGOSTO; 28 DE OCTUBRE; 9 DE ENERO.

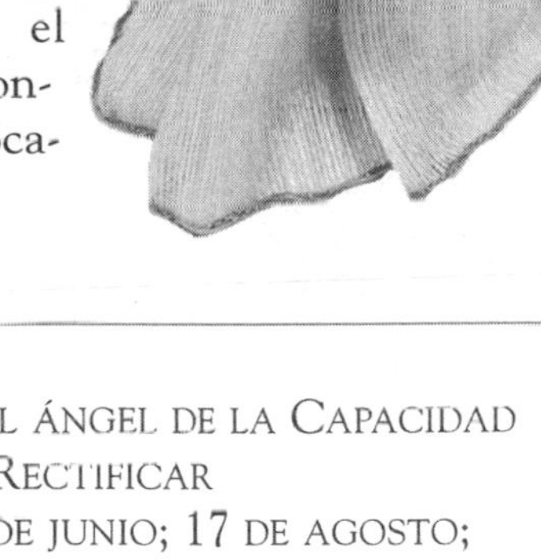

Elemiah tiene el don de lo creativo que se eleva para buscar salidas a todo lo que nos presenta en la vida. Se lo invoca también para eliminar las preocupaciones y armonizar nuestro mundo interior. Por lo tanto, logrando la paz interior, también tiene el don de permitirnos encontrar nuestra verdadera vocación.

MAHASIAH – EL ÁNGEL DE LA CAPACIDAD DE RECTIFICAR

24 DE MARZO; 5 DE JUNIO; 17 DE AGOSTO; 29 DE OCTUBRE; 10 DE ENERO.

El don que otorga este ángel es el de la facilidad de hacer cambios que modifiquen los errores cometidos. Las personas guiadas por Mahasiah cambian su rumbo sin lamentos ni gran esfuerzo y tienen facilidad para aprender cosas nuevas muy rápido.

LELAHEL – EL ÁNGEL DE LUZ, EL ENTENDIMIENTO Y LA CONCIENCIA

25 DE MARZO; 6 DE JUNIO; 18 DE AGOSTO; 30 DE OCTUBRE; 11 DE ENERO.

Lehael ilumina a las personas con un manto de energía que los aleja de las malas acciones de los otros. A sus seres protegidos les otorga el entendimiento del mundo material y espiritual y por eso ellos pueden lograr riquezas en ambos campos, sin pensar siquiera en que algo no es posible.

ACHAIAH – EL ÁNGEL DE LA PACIENCIA Y LA OBSERVACIÓN

26 DE MARZO; 7 DE JUNIO; 19 DE AGOSTO; 31 DE OCTUBRE; 12 DE ENERO

Los nacidos bajo la protección de Achaiah tendrán a la paciencia como una parte de su personalidad. Así puede invocárselo para obtenerla en cualquier momento en que necesitemos de paciencia pero también del poder de observación que nos permite encontrar la raíz de los secretos de la vida.

CAHETHEL – El Ángel de la Bendición de Dios

27 de marzo; 8 de junio; 20 de agosto; 1° de noviembre; 13 de enero.

Cahethel propicia la vida natural tanto en el campo como en la ciudad y la bendición de Dios a través suyo hace florecer las plantas en todo su esplendor, así como las vidas de quienes se atienen a su guía,

Se lo invoca también para alejarse de los vicios, como el cigarrillo, la droga y el alcohol.

HAZIEL – El Ángel de la Misericordia de Dios

28 de marzo; 9 de junio; 21 de agosto; 2 de noviembre: 14 de enero.

El ángel de la Misericordia de Dios otorga su don para superar los malos momentos y la circunstancias más penosas. Brinda el don de comprender a nuestros semejantes, aún en las disidencias más grandes. Las personas que se dejan guiar por Haziel verán cumplirse las promesas que les han hecho y sentirán gran paz interior.

HALADIAH – El Ángel de la Gracia Divina

29 de marzo; 10 de junio; 22 de agosto;
3 de noviembre; 15 de enero

Con la Gracia Divina este ángel lucha contra las enfermedades y todos los males que puedan rodear a los seres humanos, brindándoles aire fresco en sus vidas y especialmente, mucho amor. Se lo invoca para recuperar la armonía luego de preocupaciones extremas y para reiniciar caminos.

LAUVIAH – El Ángel de la Victoria

30 de marzo; 11 de junio; 23 de agosto;
4 de noviembre; 16 de enero.

Laoviah obtiene victorias tanto en la vida material como espiritual. Sus dones son los del éxito y la notoriedad. Las personas bajo su guía se mantienen libres de estafas materiales o morales y tienen la facilidad de recuperarse de todas las dificultades.

HAHAIAH - El Ángel del Refugio y la Protección

31 de marzo; 12 de junio; 24 de agosto;
5 de noviembre; 17 de enero.

Hahaiah esencialmente es el protector, es quien brinda refugio para los que se encuentran en situación de abandono y también quien puede hacer entender el proceso de aprendizaje. Por lo tanto, quien esté bajo su guía tendrá mucha lucidez en el estudio y en la comprensión de todo lo nuevo que se le presente.

Se lo invoca también para obtener lucidez en la interpretación de los sueños.

YESAEL – El Ángel de la Fidelidad

1° de abril; 13 de junio; 25 de agosto; 6 de noviembre; 18 de enero.

Yesael protege la vida familiar y la fidelidad y lo hace a través de su don de la comprensión. Ayuda al equilibrio entre las relaciones entre lo masculino y lo femenino y a encontrar la armonía entre ambas partes. Ayuda a hacer prevalecer la armonía allí donde el extremismo se asoma como amenazante.

MEBAHEL – El Ángel de la Verdad y la Libertad

2 de abril; 14 de junio; 26 de agosto; 7 de noviembre; 19 de enero.

Quienes deseen conocer la verdad de su vida interior y espiritual deberán acceder a los dones de Mebahel, que les revelará un estado de conciencia superior. Este ángel brinda a sus protegidos una libertad de espíritu que les permite llegar a obtener bienes materiales sin salirse del camino espiritual.

HARIEL – El Ángel de la Purificación

3 de abril; 15 de junio; 27 de agosto;
8 de noviembre; 20 de enero.

Hariel es un ángel que brinda el don de renacer del escepticismo y volcarse a la comprensión de los valores fundamentales y de todos los fenómenos, incluso de los sobrenaturales. Propicia el estado de beatitud que lleva a sus protegidos a ser generosos y caritativos.

HEKAMIAH – El Ángel de la Lealtad

4 de abril; 16 de junio;
28 de agosto; 9 de noviembre;
21 de enero.

Los protegidos por Hekamiah son los que ejercen el mando sin altanería y quienes tienen la capacidad de obtener el respeto de los demás, sin exigirlo. Son personas nobles y prestigiosas. Se lo invoca para obtener sabiduría, dotes de mando, coraje y alcanzar puestos de alto poder.

LAUVIAH - El Ángel de la Revelación Interna

5 de abril; 17 de junio; 29 de agosto;
10 de noviembre; 22 de enero.

Este ángel logra llenar de alegría a quien lo invoque o a quien proteja. Tiene el don de lograr la paz interior y sus guiados tienen la capacidad de hacer sentir bien a los demás, otorgando buenos consejos. Se lo invoca para pedirle ayuda en el amor y la amistad.

CALIEL - EL ÁNGEL DE LA JUSTICIA

6 DE ABRIL; 18 DE JUNIO; 30 DE AGOSTO; 11 DE NOVIEMBRE; 23 DE ENERO

Caliel tiene y otorga el don de la justicia, brindando la capacidad de discernir entre todos los detalles de cada situación, cuáles son los que se deben tener en cuenta para conseguir la verdad. Sus protegidos desarrollan la voluntad y la capacidad artística y científica. Se lo invoca también en casos de calumnias o infamias, y él encuentra el camino de la justicia.

LEUVIAH – EL ÁNGEL DE LA INTELIGENCIA

7 DE ABRIL; 19 DE JUNIO; 31 DE AGOSTO; 12 DE NOVIEMBRE; 24 DE ENERO.

Es el ángel que imprime un sello de generosidad, de candidez y sencillez a sus protegidos. Suelen ser personas muy buscadas, y muy queridas. Su don de la inteligencia lo brinda de forma perfecta, ya que es una inteligencia sin soberbia.

Lleva equilibrio y serenidad a quien se lo solicita.

PAHALIAH - EL ÁNGEL DEL DISCERNIMIENTO

8 DE ABRIL; 20 DE JUNIO; 1° DE SEPTIEMBRE; 13 DE NOVIEMBRE; 25 DE ENERO.

Pahaliah es una guía para quienes quieren alcanzar una posición dentro de una orden religiosa ya que con él se alcanza a comprender la dimensión espiritual. Brinda a sus protegidos optimismo y armonía, una buena vida en familia o en comunidad y comprensión de las leyes naturales. Se lo invoca para lograr el equilibrio interior y material y también para no perder la alegría en la lucha por nuestros objetivos.

NELKAHAEL – El Ángel del Afán de Aprender

9 de abril; 21 de junio; 2 de septiembre; 14 de noviembre; 26 de enero.

Este ángel otorga el don de la imaginación y la inteligencia para incorporar nuevos y profundos conocimientos. Sus protegidos son personas justas con respeto por lo pactado, y son líderes muy confiados en sí mismos. Se lo invoca también para defenderse de influencias negativas o trabajos de brujería.

IEIAEL – El Ángel del Renombre, Éxito y Fortuna

10 de abril; 22 de junio; 3 de septiembre; 15 de noviembre; 27 de enero.

Ieiael brinda sus dones a quienes se dejan guiar por él, sin dudas ni interferencias. Así, serán personas de éxito en lo que se propongan y alcanzarán renombre y riquezas en el campo que elijan para desarrollarse. También propicia los viajes pero con un aprendizaje en cada uno de ellos. Sus protegidos son gente sociable y con una particularidad: tienen la facilidad de contar anécdotas de forma muy amena.

MELAHEL – El Ángel de la Curación
11 de abril; 23 de junio; 4 de septiembre; 16 de noviembre; 28 de enero.

Melahel protege de la violencia y hace retroceder al agresor. Se lo invoca para alejar a las enfermedades del cuerpo. Es un ángel sanador. Disipa el miedo en sus protegidos aportándoles tranquilidad y seguridad.

HAYUIAH – El Ángel de la Protección
12 de abril; 24 de junio; 5 de septiembre; 17 de noviembre; 29 de enero.

Es un ángel protector contra las venganzas y las malas intenciones. Se lo invoca para obtener lo que se desea, y Hayuiah lo otorga, pero sólo cuando la petición conlleve una intención de espiritualidad. Sus protegidos suelen desarrollarse exitosamente en la política.

NITH-HAIAH – El Ángel de la Sabiduría
13 de abril; 25 de junio; 6 de septiembre; 18 de noviembre; 30 de enero.

Nith-Haiah es el ángel que no sólo otorga sabiduría sino que da la capacidad de desentrañar los misterios esotéricos y ahondar en los espirituales. Sus protegidos podrán tener el don de sanación y ser muy respetados por sus conocimientos y por su generosidad.

AHAIAH- El Ángel de la Ciencia Política
14 de abril; 26 de junio; 7 de septiembre; 19 de noviembre; 31 de enero.

Sus dones son la honestidad y el respeto por los problemas sociales. Quienes nacen bajo la protección de Ahaiah, podrán dedicarse a la política, sobre todo, para convertirse en paladines de la voz del pueblo. Se lo invoca para obtener su protección en casos de injusticias.

IERATHEL – El Ángel de la Propagación de la Luz
15 de abril; 27 de junio; 8 de septiembre; 20 de noviembre; 1° de febrero.

Ierathel ilumina el todos los pensamientos y acciones de aquellos que siguen su guía. Las personas nacidas bajo su influencia, recibirán mucho cariño porque ellos mismos serán una fuente de amor. Se lo invoca para luchar contra la negatividad y para lograr el equilibrio y la madurez.

SEHEIAH – EL ÁNGEL DE LA LONGEVIDAD

16 DE ABRIL; 28 DE JUNIO; 9 DE SEPTIEMBRE; 21 DE NOVIEMBRE; 2 DE FEBRERO.

Los alcanzados por la luz de Seheiah obtendrán la sabiduría de la experiencia aún cuando sean muy jóvenes, y no hayan tenido tiempo de buscarla todavía. Podrán resolver cualquier tipo de problemas, lo que derivará en que muchos quieran escuchar sus consejos. Se lo invoca también para protección del fuego, de las caídas, en los viajes y las enfermedades.

REIYEL – EL ÁNGEL DE LA LIBERACIÓN

17 DE ABRIL; 29 DE JUNIO; 10 DE SEPTIEMBRE; 22 DE NOVIEMBRE; 3 DE FEBRERO.

Reiyel tiene el don de la liberación de prejuicios y preconceptos y por lo tanto, otorgando sus dones, logra que sus protegidos se conviertan en buscadores de nuevos caminos hacia la verdad. Serán personas con gusto por la filosofía y desarmarán los falsos argumentos.

OMAEL – El Ángel de la Multiplicación

18 de abril; 30 de junio; 11 de septiembre;
23 de noviembre; 4 de febrero.

Omael otorga el don de la fecundidad, y sus protegidos serán personas espiritualmente muy ricas, honradas y sencillas que se dedicarán a difundir sus más puros ideales, sin alardes ni pedantería. También, Omael otorga la felicidad y la alegría y por estas razones es asiduamente convocado.

IECABEL – El Ángel del Talento Resolutivo

19 de abril; 1° de julio; 12 de septiembre;
24 de noviembre;
5 de febrero.

Los nacidos bajo la dominación de Iecabel serán personas con talento para resolver cuestiones científicas, sociales y prácticas. Brinda adaptación a la adversidad, coraje, fuerza física y buena suerte. Su invocación trae éxitos en competencias de todo tipo.

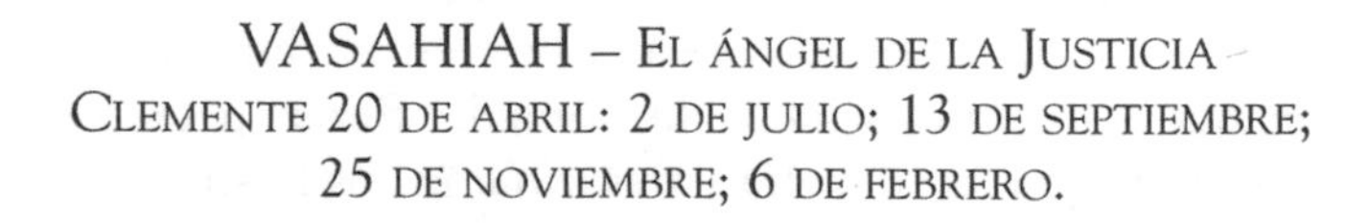

VASAHIAH – El Ángel de la Justicia Clemente

20 de abril: 2 de julio; 13 de septiembre;
25 de noviembre; 6 de febrero.

Vasahiah otorga el don de la justicia en su más caro sentido; por eso, sus protegidos tendrán la capacidad de ser justos pero sin que ello implique castigo sino aprendizaje. Este camino de fuerza interior puede llevarlos al éxito en emprendimientos comerciales y en relaciones de amor.

IEHUIAH – EL ÁNGEL DE LA SUBORDINACIÓN

21 DE ABRIL; 3 DE JULIO; 14 DE SEPTIEMBRE; 26 DE NOVIEMBRE; 7 DE FEBRERO.

Este ángel otorga el don de subordinar todas las acciones a la aprobación del Ser Supremo, con lo cual las personas que siguen su guía tendrán buenos sentimientos realizando tareas filantrópicas. Se lo invoca para obtener serenidad en situaciones difíciles.

LEHAHIAH – EL ÁNGEL DE LA OBEDIENCIA

22 DE ABRIL; 4 DE JULIO; 15 DE SEPTIEMBRE; 27 DE NOVIEMBRE; 8 DE FEBRERO.

La obediencia a que se refiere el don de Lehahiah, es la que el ser humano debe tener con las leyes sagradas. Así, sus protegidos serán personas fieles, leales y no sólo con los demás sino consigo mismos. A este ángel se lo invoca para lograr el orden.

KAVAKIAH – EL ÁNGEL DE LA RECONCILIACIÓN

23 DE ABRIL; 5 DE JULIO; 16 DE SEPTIEMBRE;
28 DE NOVIEMBRE; 9 DE FEBRERO.

Este ángel otorga el don de la comprensión y la indulgencia, haciendo que sus protegidos eviten habitualmente las discusiones y sean personas flexibles y conciliadoras. Se lo invoca para lograr la armonía conyugal y sobre todo, para las reconciliaciones.

MENADEL - EL ÁNGEL DEL TRABAJO

24 DE ABRIL; 6 DE JULIO; 17 DE SEPTIEMBRE;
29 DE NOVIEMBRE;
10 DE FEBRERO.

Menadel es un ángel que propicia la reflexión ante las situaciones que se presentan en relación a las tareas que debe realizar una persona. De tal manera, sus protegidos serán personas que, tanto en el estudio como en el trabajo, se desarrollarán exitosamente. Se lo invoca para conseguir un empleo, conservarlo y también para encontrar cosas perdidas.

ANIEL – EL ÁNGEL DE LA GLORIA DE DIOS
25 DE ABRIL; 7 DE JULIO; 18 DE SEPTIEMBRE; 30 DE NOVIEMBRE; 11 DE FEBRERO.

Personas alegres, felices y con un elevado sentido del humor son las que nacieron bajo la influencia de Aniel. Este ángel ayuda a lograr la estabilidad emocional ya que incide sobre la espiritualidad y el amor. Su invocación trae optimismo y energía.

HAAMIAH – EL ÁNGEL DE LOS RITUALES Y LAS CEREMONIAS
26 DE ABRIL; 8 DE JULIO; 19 DE SEPTIEMBRE; 1° DE DICIEMBRE; 12 DE FEBRERO.

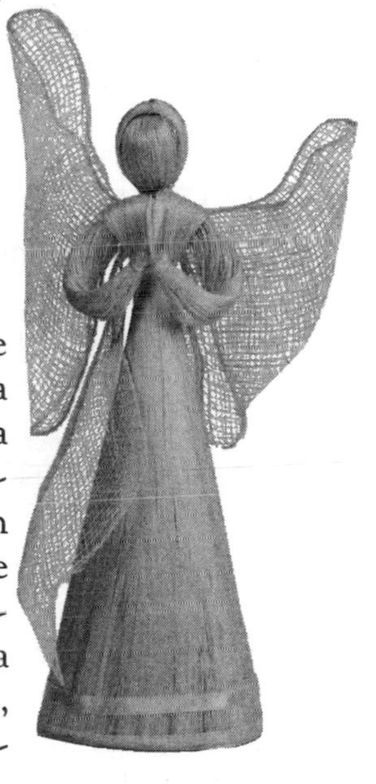

Haamiah otorga el don de vivir serenamente alejado de la maledicencia y protege contra todo lo negativo. Brinda la integridad para salir adelante aún en las condiciones más adversas. Se lo invoca, sobre todo, para cortar trabajos de magia negra, para romper relaciones enfermizas, para asustar a enemigos y alejarse de las drogas.

REHAEL – EL ÁNGEL DE LA SUMISIÓN FILIAL
27 DE ABRIL; 9 DE JULIO; 20 DE SEPTIEMBRE; 2 DE DICIEMBRE; 13 DE FEBRERO.

Rehael tiene el don de la armonía en la familia y la capacidad de curar. Sus protegidos gozarán de estos dones y si siguen su guía, serán conocedores de las leyes universales, de sus causas y efectos. Se lo convoca para curaciones y desarrollo personal.

IEIAZEL- El Ángel del Regocijo

28 de abril; 10 de julio; 21 de septiembre; 3 de diciembre; 14 de febrero.

Ieiazel confiere el don de sacar lo bueno de allí donde los demás encuentran todo negativo. Las personas nacidas bajo su protección tienen facilidad para salir de la ansiedad y siempre tienen palabras de consuelo y aliento para los que sufren.

HAHAHEL – El Ángel de la Consagración a Dios

29 de abril; 11 de julio; 22 de septiembre; 4 de diciembre; 15 de febrero.

Los nacidos bajo la influencia de este ángel serán personas de mucha fe, practiquen la religión que sea. Los que sigan fielmente su guía, realizarán obras espirituales en beneficio de los demás. Se lo invoca para pedir Luz en nuestro camino.

MIKAEL – El Ángel del Orden Político

30 de abril; 12 de julio; 23 de septiembre; 5 de diciembre; 16 de febrero.

Los protegidos por este ángel podrán ser buenos

políticos, ya que sus dones tienen la virtud de dominar los sentimientos, la acción, las ideas y la materia. Esto les da equilibrio y un sentido de justicia. Su invocación debe hacerse para salir del caos en cualquier situación.

VEULIAH – El Ángel de la Prosperidad

1° de mayo; 13 de julio; 24 de septiembre; 6 de diciembre; 17 de febrero.

Veuliah otorga el don de la productividad que lleva a la prosperidad. Sus protegidos son personas que tienen éxito en su trabajo y que permanentemente sorprenden a todos con la creatividad aplicada a su tarea. Puede invocársele para sortear dificultades a la hora de resolver cuestiones de trabajo.

IEALIAH – El Ángel del Talento Militar

2 de mayo; 14 de julio; 25 de septiembre; 7 de diciembre; 18 de febrero.

Iealiah brinda a sus protegidos las armas para luchar contra todo lo que pueda desordenar sus vidas. Estas personas serán valientes, capaces de ponerse del lado de los que necesitan protección y ayudarlos concretamente. Quien reniegue de su guía será todo lo contrario: una persona violenta y temible.

SEALIAH – El ángel del Motor y la Voluntad Continuadora

3 de mayo;
15 de julio;
26 de septiembre;
8 de diciembre;
19 de febrero.

Este ángel brinda sus dones y hace que sus protegidos puedan a fuerza de insistencia y optimismo, lograr lo que se proponen firmemente. Son personas que no se detienen ante los obstáculos y permanecen luchando con energía. Se lo invoca cuando se desea obtener fuerza para continuar algo que se presenta difícil.

ARIEL- El ángel de la Percepción Reveladora

4 de mayo; 16 de julio; 27 de septiembre; 9 de diciembre; 20 de febrero.

Ariel otorga el don de percibir los secretos del universo. Quien siga la guía de este ángel podrá utilizar este don para ayudar a la gente material y espiritualmente. Son personas que tienen habilidad para muchos quehaceres o profesiones y sobre todo, muy propensos a la investigación.

ASALIAH- El ángel de la Contemplación

5 de mayo; 17 de julio; 28 de septiembre; 10 de diciembre; 21 de febrero.

Con su don, Asaliah confiere la aptitud de elevarse

por encima de la comprensión de la mayoría, a la hora de contemplar una situación. Son personas intuitivas y que pueden adelantarse a la palabra del otro, casi como si adivinaran su pensamiento. Se lo invoca para aclarar dudas con respecto a problemas.

MIHAEL – EL ÁNGEL DE LA GENERACIÓN

6 DE MAYO; 18 DE JULIO; 29 DE SEPTIEMBRE; 11 DE DICIEMBRE; 22 DE FEBRERO.

Mihael otorga el don de cumplir con los deseos más fuertes, ya que impulsa a generar acciones positivas en pos de cumplirlos. También es el ángel de la pareja y la fecundación, por eso muchas veces es invocado para generar armonía y fecundación en el matrimonio. Brinda la capacidad de inspirar amor.

VEHUEL – EL ÁNGEL DE LA ELEVACIÓN

7 DE MAYO; 19 DE JULIO; 30 DE SEPTIEMBRE; 12 DE DICIEMBRE; 23 DE FEBRERO.

Vehuel influye sobre el alma de sus protegidos elevándola para encontrar su esencia. Debido a ello, serán personas que alcanzarán posiciones importantes en cualquier nivel de actividad, y siempre parecerá que es por la suerte y no por su esfuerzo. Sin embargo, los guiados por este ángel son personas de gran intelectualidad.

DANIEL – EL ÁNGEL DE LA ELOCUENCIA
8 DE MAYO; 20 DE JULIO; 1° DE OCTUBRE; 13 DE DICIEMBRE; 24 DE FEBRERO.

El don de este ángel hace que sus influenciados sean personas con habilidad para expresar sus ideas. Debido a esto, se desarrollan muy bien en profesiones como la abogacía, la diplomacia, los medios de comunicación, escritores y todo lo que requiera de un lenguaje florido y convincente. Se lo invoca para obtener esta gracia.

HAHASIAH – EL ÁNGEL DE LA MEDICINA UNIVERSAL
9 DE MAYO; 21 DE JULIO; 2 DE OCTUBRE; 14 DE DICIEMBRE; 25 DE FEBRERO.

Los bendecidos por Hahasiah tendrán facilidad para descubrir las causas de las enfermedades, así como Omael lo hace sobre los efectos. Así, descubren secretos para poner ese conocimiento en beneficio de la salud de los demás. Se lo invoca en casos de enfermedades que no han sido bien diagnosticadas.

IMAMIAH- EL ÁNGEL DE LA EXPIACIÓN DE ERRORES
10 DE MAYO; 22 DE JULIO; 3 DE OCTUBRE; 15 DE DICIEMBRE; 26 DE FEBRERO.

Es el ángel que proporciona fortaleza para expiar los errores de las vidas pasadas con amor y sabiduría. De tal forma, los bendecidos por Imamiah, aprovecharán esa fortaleza para su trabajo, que les resultará fácil y podrán prosperar económicamente, poniéndole el pecho a las adversidades.

NANAEL – El Ángel de la Comunicación Espiritual

11 de mayo; 23 de julio; 4 de octubre, 16 de diciembre; 27 de febrero.

Nanael otorga el don de la iluminación para alcanzar la comunicación espiritual. Las personas nacidas bajo su tutela estarán fuertemente conectadas con su esencia espiritual, lo que los hará proclives a aislarse de los placeres terrenales sin sentir el sacrificio. Por eso es que hay muchos sacerdotes nacidos bajo las alas de Nanael, y los que no lo son, gustan de la vida en soledad y defienden su privacidad.

NITAHEL – El Ángel de la Legitimidad Sucesoria

12 de mayo; 24 de julio; 5 de octubre; 17 de diciembre; 28/29 de febrero.

Nitahel otorga el don de poder discernir entre lo legítimo y lo que no lo es, favoreciendo que en la sucesión de los acontecimientos, todo sea claro y verdadero. Los bendecidos por este ángel tendrán buena salud y una larga vida, además de ser muy estables en su trabajo. Su protección abarca todos los campos de nuestras vidas.

MEBAHIAH – El Ángel de la Lucidez Intelectual

13 de mayo; 25 de julio; 6 de octubre; 18 de diciembre; 1° de marzo.

La gente bajo las alas de este ángel podrá aplicar su inteligencia para resolver cualquier proyecto que se proponga, ya que posee una capacidad de análisis superior a los demás. Mebahiah, además, otorga el don de la bondad y el consuelo, con lo cual sus guiados serán personas que podrán curar el alma.

POIEL – El Ángel del Sostén, la Fortuna, el Talento y la Modestia

14 de mayo; 26 de julio; 7 de octubre; 19 de diciembre; 2 de marzo.

Los nacidos bajo la influencia de Poiel no tendrán ambiciones desmedidas; pero igualmente, aquellos que hayan alcanzado un alto nivel de conciencia estarán bendecidos por la fortuna y el talento. Además, serán personas que contribuyan al sostén económico de quienes lo necesitan; y sin embargo, lejos de alardear, serán modestos.

NEMAMIAH - EL ÁNGEL DEL ENTENDIMIENTO
15 DE MAYO; 27 DE JULIO; 8 DE OCTUBRE;
20 DE DICIEMBRE; 3 DE MARZO.

Este ángel permite a sus protegidos descubrir su karma y, con ello, entender por qué se relacionan con distintas personas y cuál es el propósito divino de esas relaciones. Por esa claridad mental y espiritual que otorga su don, se lo invoca para que revele las intenciones de alguien que se ha acercado a nuestra vida.

IEIALEL EL ÁNGEL DE LA FORTALEZA MENTAL
16 DE MAYO; 28 DE JULIO; 9 DE OCTUBRE;
21 DE DICIEMBRE; 4 DE MARZO.

La fortaleza mental que aporta Ieialel a la vida de sus protegidos les permite vencer sentimientos y pasiones que obstaculizan su camino. Son personas rigurosas que no se permiten debilidades. Sin embargo, y aunque no les gusta sentirse comprometidos, son buenos amantes y personas honestas y francas. Su carácter puede crearles enemigos, pero están fuertemente protegidos por su ángel.

HARAHEL- EL ÁNGEL DE LA RIQUEZA INTELECTUAL
17 DE MAYO; 29 DE JULIO; 10 DE OCTUBRE;
22 DE DICIEMBRE; 5 DE MARZO.

Harahel aporta riqueza intelectual pero como consecuencia del intercambio de conocimientos: recibir y dar. Sus protegidos serán seres con una inteligencia rápida y concreta, dedicados a investigar y a difundir sus conocimientos. También es el ángel que puede ayudar a mujeres con problemas de fertilización.

MITZRAEL – El Ángel de la Reparación

18 de mayo; 30 de julio; 11 de octubre; 23 de diciembre; 6 de marzo.

Mitzrael ayuda a la reparación de errores kármicos, otorga larga vida, reconocimiento y fidelidad. Su protección incluye la de detener a enemigos que persiguen a las personas que lo invocan. También acuden a él personas que sufren por celos, expresados por su pareja.

UMABEL – El Ángel de la Afinidad, la Amistad y la Analogía

19 de mayo; 31 de julio; 12 de octubre; 24 de diciembre; 7 de marzo.

Este es el ángel de las conexiones, el que otorga el don de encontrarse con personas afines y establecer una amistad. También, Umabel brinda la capacidad de encontrar analogías entre los opuestos. Por eso, sus protegidos pueden descubrir cosas nuevas en los viajes que realicen.

IAH-EL- El Ángel del Afán de Saber

20 de mayo; 1° de agosto; 13 de octubre; 25 de diciembre; 8 de marzo.

El produce una adicción en busca del conocimiento. De tal manera, los nacidos bajo su influencia serán personas que no pararán de indagar, estudiar y reflexionar. Habitualmente, no son personas que alcancen riquezas materiales, aunque la sabiduría que pueden obtener las acerque, por añadidura.

ANAHUEL- EL ÁNGEL DE LA PERCEPCIÓN DE LA UNIDAD

21 DE MAYO; 2 DE AGOSTO; 14 DE OCTUBRE; 26 DE DICIEMBRE; 9 DE MARZO.

El don de este ángel imprime en sus protegidos la capacidad de ver las cosas como parte integrante de un todo. Anahuel también protege contra accidentes, y domina en el mundo de los negocios, otorgando la capacidad de decidir inteligentemente.

MEHIEL- EL ÁNGEL DE LA MATERIALIZACIÓN DE LOS IMPULSOS

22 DE MAYO; 3 DE AGOSTO; 15 DE OCTUBRE; 27 DE DICIEMBRE; 10 DE MARZO.

El don que otorga Mehiel se debe comprentender como la fuerza necesaria para que los impulsos sean vividos en forma interna, privada. Sólo serán materializados cuando sean positivos. Otorga sabiduría, tolerancia y talento para la escritura y la enseñanza superior. Se lo invoca para refrenar impulsos.

DAMABIAH- EL ÁNGEL DE LA FUENTE DE SABIDURÍA

23 DE MAYO; 4 DE AGOSTO; 16 DE OCTUBRE; 28 DE DICIEMBRE; 11 DE MARZO.

Otorga sabiduría, amor y generosidad. Este continuo dar envolverá a sus protegidos en mucha riqueza y amor. Este ángel también influencia en todo lo relacionado con los mares, los ríos y los manantiales y así, protege todas las actividades relacionadas con ellos.

MANAKEL- EL ÁNGEL DEL CONOCIMIENTO DEL BIEN Y DEL MAL

24 DE MAYO; 5 DE AGOSTO; 17 DE OCTUBRE; 29 DE DICIEMBRE; 12 DE MARZO.

Las personas nacidas bajo las alas de Manakel, sabrán elegir su camino a la hora de tomar decisiones. Este ángel otorga el conocimiento de lo correcto y lo incorrecto, aleja a la gente de la ira y los ayuda a detectar engaños. Se lo invoca también en casos de mudanzas o cambios de cualquier índole.

EIAEL- EL ÁNGEL DE LA TRANSUSTANCIACIÓN

25 DE MAYO; 6 DE AGOSTO; 18 DE OCTUBRE; 30 DE DICIEMBRE; 13 DE MARZO.

Es el ángel de las ciencias físicas porque otorga la capacidad de cambiar una sustancia por otra, y de la comparación de sus propiedades. Sus protegidos son seres reflexivos, alegres y optimistas, que saben que todo puede cambiarse y modificarse.

HABUHIAH- EL ÁNGEL DE LA CURACIÓN Y LA CONSERVACIÓN DE LA SALUD
26 DE MAYO; 7 DE AGOSTO; 19 DE OCTUBRE;
31 DE DICIEMBRE; 14 DE MARZO.

Las personas nacidas bajo la protección de Habuhiah obtendrán dones de curación y conservación de la salud, sólo por la vía natural. Serán grandes observadores de la naturaleza y de ella lograrán la sabiduría de la sanación. Habuhiah también es el ángel de la Fecundidad.

ROCHEL – EL ÁNGEL DE LA RESTITUCIÓN
27 DE MAYO; 8 DE AGOSTO; 20 DE OCTUBRE;
1° DE ENERO;
15 DE MARZO

Los nacidos bajo su protección estarán siempre cerca de situaciones donde podrán ayudar a restituir a la gente lo que le ha sido robado o negado. Otorga claridad para resolver conflictos, en lo legal y social.

JAMABIAH- EL ÁNGEL DE LA ALQUIMIA Y LA TRASMUTACIÓN
28 DE MAYO; 9 DE AGOSTO; 21 DE OCTUBRE;
2 DE ENERO; 16 DE MARZO.

El don de este ángel debe entenderse como el depósito de un pequeño tesoro en el alma de sus protegidos, que puede convertir a cada uno de ellos en una persona de oro, invalorable y genial. Su protección abarca a los que quieren volver del mal camino. Se lo invoca para alejarse de las adicciones, ya que aporta fortaleza.

HAIAHEL- EL ÁNGEL DE LAS ARMAS PARA EL COMBATE

29 DE MAYO; 10 DE AGOSTO; 22 DE OCTUBRE; 3 DE ENERO; 17 DE MARZO.

Haiahel brinda a sus protegidos las armas para luchar contra los enemigos externos e internos, liberándolos de condicionamientos. Por eso, serán personas independientes, valientes y con ánimo.

MUMIAH – EL ÁNGEL DE LA FINALIZACIÓN Y EL RENACIMIENTO

30 DE MAYO; 11 DE AGOSTO; 23 DE OCTUBRE; 4 DE ENERO; 18 DE MARZO.

Es quien cierra los ciclos y abre otros: pero dejando en el nuevo una semilla para que germine. Sus protegidos viven intensamente cada oportunidad y tienen la facilidad de alejarse de todo aquello que les molesta. Seguramente se ocupará, en la mitad de su vida, de iniciar algo que quede para que otros continúen su obra. Se lo invoca para obtener serenidad, alegría y optimismo y para la buena salud.

CAPITULO 3

COMO CONECTARSE CON SU ANGEL

"Mi Dios ha enviado a su ángel, que ha cerrado la boca de los leones para que no me hiciesen daño, porque delante de Él ha sido hallada en mí justicia, y aún contra tí, ¡oh rey!, nada he hecho de malo"
DANIEL

Está ya dicho que los ángeles son los mensajeros de Dios, seres creados perfectos, pero no son ellos mismos Dios, ya que Él es único. Por lo tanto, los ángeles no pueden escuchar nuestros deseos, si no se los expresamos.

El Ángel Guardián tiene una misión y la cumple; pero si necesitamos algo más de él, tenemos que contactarnos e invocar su ayuda sobre el tema que nos preocupa.

De niños, quizás somos muchos los que nos ocupábamos de hablarle...

"Angel de mi guarda, mi dulce compañía, no me desampares ni de noche ni de día".

¿Recuerda? Pero ya de adultos, ¿cuántos son los que tratan de contactarse con el ángel que los custodia?

No todos los seres humanos pueden lograr un contacto con su Ángel de la Guarda, aunque éste no lo abandona en ninguna circunstancia. Esto sucede con las personas que se hallan inmersas en bajos estados de conciencia (delincuentes, asesinos o los que se dejan dominar por la ira). También gente de mucho ego o demasiado orgullo o dependientes de ambiciones desmedidas pierden el camino del contacto angélico. El Ángel Guardián no nos susurra al oído sino que nos habla al alma, y quien esté alejado de ella, mal podrá oír nada que allí suceda.

Para realizar el contacto con el Ángel Guardián es cuestión de colocarse en una frecuencia cósmica elevada. Así es que no podemos, por ejemplo, escuchar dos estaciones de radio al mismo tiempo. Y en esa elección de frecuencias, es donde prevalece el libre albedrío de que hemos sido dotados; elegir la frecuencia cósmica que eleva nuestro nivel de conciencia, ya nos acerca a nuestro Ángel Guardián.

Una vez en ese estado, y como ellos no hablan en el mismo idioma que los hombres, sabremos captar las pistas que nos brindan en cada situación y seguirlas sin dudar de que vamos tomados de su mano en nuestra decisión. A veces, es una canción que pasan por la radio, otras, el titular de un diario, o la observación de un niño, o alguna cosa que un desconocido le dice mientras espera en una fila... Su ángel tiene infinitas maneras de llegar a su entendimiento.

El nombre de nuestro ángel está relacionado con nosotros y tiene que ver con nuestra vibración, nuestro nivel de conciencia y nuestro potencial.

EL ESTADO DE CONCIENCIA SUPERIOR

Para que no queden dudas sobre qué significa alcanzar un estado de conciencia superior, podemos referirnos a las cosas de todos los días, que cimientan nuestra elevación: la continua alimentación de nuestra vida espiritual a través de rezos, estudio y comprensión de la Creación; el destierro, de nuestro pensamiento, del odio y el juicio a los demás; la aceptación de las personas así como son; la aceptación de nuestra propia persona; serenidad en nuestras acciones; confianza y certeza de que todo está a nuestro alcance, si sabemos llegar a ello. Evolucionar es crecer, fluir libremente, aprender, entender, pero siempre en un proceso alejado del dolor y el sacrificio.

De esta forma, de la misma manera en que se puede escalar posiciones en una empresa, si somos honestos, trabajadores, hábiles y creativos, pasaremos de cadetes a empleados comunes, subiremos a jefes, luego a gerentes, y así ascenderemos cada vez más también, en nuestro nivel de conciencia. Una vez allí, estaremos en el verdadero proceso de conexión, abiertos a recibir el contacto.

En esa conexión sabremos que nuestro Ángel Guardián nunca nos juzga, no importa cuán alejados estemos de su guía; que nos espera sin desesperar porque es un manantial inagotable de paciencia; que nos ama aunque su protegido no lo ame a él; que no nos abandona en ningún momento; que está ayudándonos; que respeta todas nuestras decisiones, por más equivocadas que éstas sean; que no desprecia nuestros pedidos de cosas insignificantes sino por el contrario, cada pequeño pedido es tan importante como cualquier otro que le hagamos.

Cuando usted logre un contacto fluido con su Ángel

Guardián, también alcanzará una más sabia observación de su vida y de su relación con los demás; modificará estados emocionales negativos y estará en condiciones de hacer uso de la energía angélica para la sanación emocional y física tanto suya, como de otras personas.

Ya en ese estado óptimo de conexión, establecerá una capacidad perceptiva mucho más sutil que lo llevará a escuchar claramente a su ángel. El desea también contactarse con usted, y ese deseo mutuo hará que hasta sienta físicamente su guía. Muchos hablan de sentir escalofríos, cosquillas en el cuello y hasta de que perciben perfumes cuando sus ángeles les indican algo. Son personas que se encuentran en ese estado de percepción elevado a las que usted tiene que comenzar a buscar.

Otra manera de conectarse con ellos, ya estando en medio de un trabajo de transformación y elevación de nuestra alma, es a través de los sueños. Mientras más elevación obtenga, más claros se verán los mensajes que nuestros ángeles nos acercan. Si eso sucede, debemos ponernos a trabajar durante el día, lo que se nos ha señalado durante la noche, sabiendo que a partir de allí, a partir de saber qué tenemos que hacer, se inicia nuestro trabajo de cambios. Recibir las respuestas de los ángeles en los sueños es una bendición solo concedida a las personas con afán de superación y que estén inclinadas a la ayuda de los otros.

Pero recuerde que los sueños se nos aparecen codificados, llenos de símbolos y debemos interpretarlos. De allí que sólo un alma elevada puede descifrar la guía que nos brindan los seres celestiales.

Ahora bien, si en sueños o en algún momento en que usted crea que ha establecido contacto con su Ángel Guardián, siente que su guía lo lleva a caminos negativos, o le anticipa muertes o accidentes, cuidado, porque puede ser un ente maligno pero nunca un ángel. Y en los sueños, puede ser simplemente un código a interpretar. Los ángeles no lo guiarán nunca hacia nada que no sea positivo, ni le anticiparán el futuro, y mucho menos muertes y accidentes. Llegado el caso, lo guiarían allá donde no hay peligros. ¿Ejemplos? Casi siempre que un avión cae, la prensa se encarga de encontrar a una persona que estaba por subir al avión y por un retraso o por falta de un documento o por distintos motivos circunstanciales, perdió el vuelo. ¿El ángel que ayudó a esa persona le contó de antemano que se iba a caer? No, por supuesto. Se limitó a "distraerlo" de la situación y enviar a su protegido a otro lado. Muchas son las veces que utilizan la sincronización de situaciones para encadenar nuestro desvío, o, según el caso, nuestro acercamiento. Y esto sucede tanto para ayudarnos en el plano espiritual, físico o material.

No hay nada que su Ángel Guardián no pueda hacer por usted, si usted se eleva a su frecuencia cósmica.

COMO CONSTRUIR UN TEMPLO DE INVOCACIÓN

En un alto estado de conciencia, el contacto con los ángeles se convierte en algo cotidiano; pero cuando existen razones para reforzar su ayuda, cuando tenemos algo especial para pedirle que acuda en nuestro auxilio, debemos invocarlos. El momento de invocación requiere de ciertos requisitos para crear un centro de energía apropiado para estos rituales.

Las preocupaciones cotidianas, la ansiedad que provoca la necesidad de pedir ayuda nos alejan de ese estado de introspección ideal para las invocaciones.

Primeramente, se necesita un lugar donde cuerpo y mente puedan relajarse y distribuir en ese espacio una serie de elementos afines con la energía de los ángeles. Los rituales condicionan nuestra concentración y nos predisponen a energizarnos elevando nuestra frecuencia hacia los niveles cósmicos. Existen dos maneras de realizar un templo de invocación, una que requerirá de bastante espacio disponible, y otra, más casera y sencilla, que cualquiera puede realizar en su casa.

INSTRUCCIONES PARA REALIZAR EL TEMPLO DE INVOCACIÓN

Materiales necesarios:

- Un gazebo (especie de carpa de cuatro lados, con techo de tela y costados libres) de color blanco que puede reemplazar por cuatro palos de 1,5 metros de alto, con base para sostenerse.
- 1 tela blanca para techar el palio.
- 1 mesita de apoyo.
- 1 mantel blanco.
- 1 bandeja de metal.
- 2 velones blancos.
- Incienso de lavanda y jazmines.
- Flores frescas.
- 1 pequeña alfombra donde sentarse.
- Música instrumental suave, tipo "new age" o clásica.

Realización:

1. Arme el gazebo o bien, coloque 4 palos formando un espacio rectangular que coronará techando con la tela blanca. Hágalo en un lugar de su casa donde pueda conservar el templo sin desarmar.

2. Bajo el cobijo del palio ya armado, coloque al

fondo, la mesita de apoyo. Puede utilizar algún cajón de frutas,o una valija de material rígido, ya que al cubrirlo con el mantel blanco, no se verá.

3. Una vez colocado el mantel sobre la superficie de apoyo, allí colocará la bandeja de metal.

4. Sobre la bandeja, ubique los velones, el incienso y las flores en un recipiente de vidrio.

5. Frente a la mesa, extienda la alfombra que servirá para que usted se siente durante las invocaciones.

6. El equipo de sonido debe estar cerca para que la música pueda ser escuchada suavemente.

7. El palio debe ser tan amplio como para poder albergarlo a usted y los materiales de que dispondrá.

Este templo de invocación Angélica debe permanecer armado, con las velas y los inciensos repuestos y listos para la próxima invocación; y si es posible, cambiar las flores cuando éstas se marchiten. Si necesitara desarmarlo por cualquier motivo, realice antes un ritual de agradecimiento a su Ángel Guardián y luego guarde prolijamente y todos juntos, los elementos que lo componen.

Hasta aquí, fueron las instrucciones para erigir un templo de invocación importante, y que ocupa bastante espacio; pero existe otra manera de realizar uno, en caso de que usted no tenga mucho lugar en su casa.

Utilizará los mismos elementos, obviando el palio. En cambio, al realizar las invocaciones, cubrirá su cabeza con una tela blanca, que cubra todo su cuerpo.

En ambos casos, la idea de un templo de invocación es dedicar un espacio tranquilo donde poder aislarse para llevar la mente únicamente al diálogo con el ángel, y atraerlo a él hacia nosotros con nuestra alma preparada, y con los elementos que ayudan a esta conexión.

El armar un espacio tranquilo como éstos es ni más ni menos que la concentración de fuerza en un sólo lugar. De todas formas, si usted, de pronto un día, tiene una necesidad urgente de dialogar con su ángel, puede dirigirse a una iglesia o a un templo, y hacer su petición desde allí, donde todo está dispuesto para la concentración en la oración.

SIETE PASOS PARA DIALOGAR CON SU ÁNGEL

En el momento en que usted no tenga dudas acerca de la existencia de su Ángel Guardián, también será el momento para poder dialogar con él. Cuando termina el escepticismo, se abre una puerta a un mundo donde nada es imposible. Es allí donde se abre el canal de comunicación.

Así como la vida fluye, así fluirá la ayuda de su Ángel Guardián; pero cuando necesite una ayuda especial, debe pedírsela. Ahora bien, si usted hace mucho que no se encuentra ni habla con un amigo, ¿lo llamaría después de tanto tiempo para pedirle un favor? Suena a algo molesto y a la vez ingrato, ¿no? Su Ángel es su amigo, y aunque no tenga nada para pedirle, su invocación debe hacerse regularmente, darle las gracias, decirle que lo ama, contarle sus progresos.

Sea cual fuere el motivo de la invocación, cuando se dirija al templo, hay siete pasos que usted debe seguir para obtener una mejor conexión con su ángel.

▶ Primer paso

Antes de dirigirse al templo angélico, tome un baño de inmersión con sales aromáticas. Si esto es imposible, tome una ducha pero dése el tiempo necesario para relajarse. Durante el baño, trate de alejarse de todos los pensamientos que sean triviales y absolutamente, de los críticos y de los maliciosos. Disfrute del agua, sienta placer y tranquilidad, sonría. La alegría es el estado ideal para comunicarse con las esferas superiores.

Luego, quédese descalzo y vístase con colores claros, haga comenzar a sonar la música y diríjase al palio, llevando papel y lapicera. Una vez allí, encienda los velones y los inciensos. Huela las flores, acomode amorosamente todos los elementos y siéntese en su alfombra. Realice todo muy pausadamente.

▶ Segundo paso

En este paso hacia la invocación, usted escribirá sobre un papel sus peticiones. Resulta mucho mejor tener una especie de agenda angelical, donde usted pueda ir anotando las peticiones, sus adelantos en el seguimiento de la guía espiritual de su ángel, y los logros luego de cada invocación.

Descubrir y contactarnos con nuestro ángel de la Guarda nos dará la fuerza y seguridad necesarias para poder emprender las tareas de cada día.

Tómese tiempo para pensar qué va a escribir. Su petición debe ser clara, porque como siempre, ya sabemos que solamente se cumplen los objetivos concretamente expresados. Nunca le pida a su Ángel Guardián, ni a ninguno de ellos, algo que pueda herir a los demás. Si por algún motivo, su objetivo implica la tristeza de otras personas, solicite a su ángel que lo ayude a llegar a su meta por un camino donde nadie resulte herido.

Tampoco le pida que le revele secretos de Dios porque no está autorizado para hacerlo; pero en cambio, puede pedirle ayuda para elevar su alma y así usted mismo irá adquiriendo una más alta conciencia para ir revelando lo que desea.

No se avergüence si sus pedidos parecen insignificantes, ya que su ángel está para ayudarlo hasta en sus más mínimas necesidades, tanto espirituales, como físicas o materiales.

Una vez que tenga escrito su pedido, léalo en voz alta para que su Ángel Guardián lo escuche y deje el papel – o el cuaderno – frente a las velas.

▸ Tercer paso

Es el momento de relajar la mente y el cuerpo. Lo hará sentado en la alfombra, en posición de loto; aunque, si tiene algún impedimento físico, puede realizarlo sobre un banco o una silla.

Respire dándose un tiempo prudente como para aspirar y exhalar. Siga respirando a conciencia durante 5 minutos. Luego, mire la luz de las velas y luego cierre sus ojos. Sienta cómo la luz que ha entrado por sus ojos ilumina toda su cabeza. Es una luz intensa que barre con la oscuridad, se convierte en una bola de luz que comienza a recorrer todo su cuerpo, muy lentamente, sin dejar rincón por iluminar. De su cabeza va hacia su cuello, y luego al hombro izquierdo, baja por el

Las religiones monoteístas coinciden en que los ángeles son espíritus puros cuya meta es ser un mensajero de Dios y colaborar en el plan divino.

brazo, llega hasta cada dedo y vuelve para rodar por el hombro derecho y seguir hasta los dedos. Ahora sigue por su pecho, su zona estomacal, llegando la luz a su espalda, y baja llegando a su zona genital y a su coxis. Sienta la luz en sus caderas y perciba cómo una tras otra, recorre sus piernas llegando hasta cada dedo de los pies.

Su cuerpo y su mente están iluminados. Sienta el agradable calor que lo inunda, sienta cómo es estar entregado a las sensaciones placenteras. Todo usted está unificado, es uno, esta es su alma.

▸ Cuarto paso

En ese estado de felicidad, con su mente y cuerpo iluminados, sus ojos cerrados, visualice enfrente suyo una escalera. No ve dónde comienza ni dónde termina, pero ve que está como entre nubes, donde hay plantas y flores y los colores son hermosos. Y allí, en un escalón, está usted; y una luz destellante, como si fuera una estrella, lo invita a subir otro escalón. Visualice bien los detalles, vea cómo, muy lentamente, va subiendo más y más escalones. En cada uno, se detiene, sonríe, y mira feliz a su estrella. Siga visualizando el ascenso hasta que sienta que ha alcanzado a la luz de la estrella. Vea cómo se introduce en ella y cómo su luz lo abarca y lo abraza con tibieza.

▸ Quinto paso

Ahora que ha logrado esa sensación de plena felicidad, debe compartirla con los demás. Uno a uno, perciba la compañía de cada componente de su familia, sus amigos, todas las personas que ama están junto a usted, y usted mismo es quien les facilita el ingreso a la estrella de su dicha. También llegan a su lado personas que no quiere, pero con las que tiene trato. Sonríales y hágalas pasar a su felicidad, cubra sus cuerpos con la luz de la estrella, sienta cómo va apoderándose de ellos, una infinita bondad, tan grande que llega hasta su propia alma.

▸ Sexto paso

Usted ya está en contacto con su Ángel Guardián. Todavía en medio de su visualización, abrazado por la luz de la estrella y rodeado de toda esa multitud que ha convocado, dígale en voz alta su petición. La estrella aumenta su Luz al pronunciar usted sus palabras. Usted tiene la certeza de su energía. Usted sabe que su ángel ya ha comenzado a ayudarlo en su objetivo.

▸ Séptimo paso

Abra sus ojos. Pose su mirada en las velas. Sienta cómo se ha abierto en usted el canal de la energía angelical. Es el momento de agradecer mediante las oraciones y aceptar con ellas lo que traigan aparejado. Dígale a su ángel que tiene todo su amor y su confianza y que sabrá interpretar sus consejos.

Antes de comenzar la invocación, usted podrá haberse escrito sus propias oraciones, o bien, copiado alguna que se adapte mejor a su espíritu y a su necesidad.

CAPITULO 4

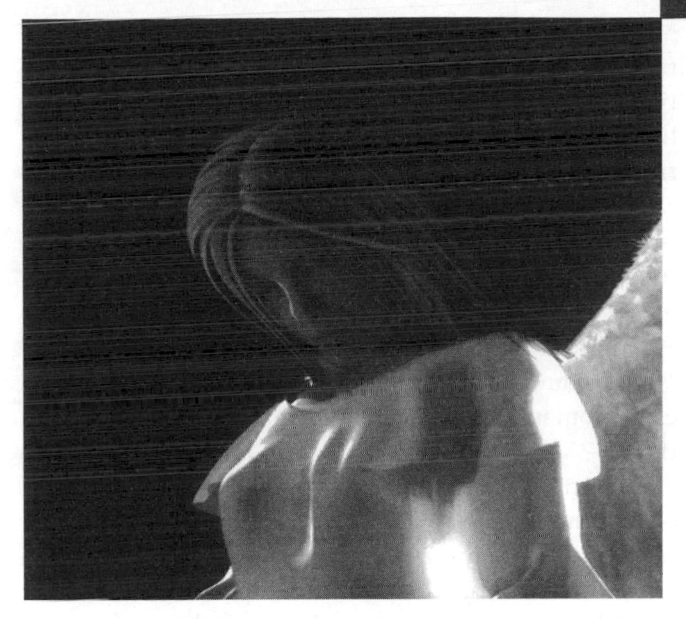

ORACIONES Y RITUALES

"Angel de la paz, Angel de la Guarda,
A quien soy encomendado, mi defensor,
Mi vigilante centinela; gracias te doy,
Que me libraste de muchos daños
del cuerpo y del alma.
Gracias te doy, que estando durmiendo,
me velaste, y despierto,
me encaminaste; al oído,
con santas inspiraciones me avisaste.."

No importa a la religión que una persona pertenezca, la oración siempre es un núcleo de energía que se proyecta, más allá del entendimiento. En la oración se pide por consuelo, por ayuda , para agradecer o para elevar el espíritu hacia más allá de lo terrenal y es en esos instantes en que la fe y la certeza tienen el poder de lograr aquellas cosas que para otros parecerían imposibles.

En una persona de fe, el rezo trae alivio, porque descarga en su oración su esperanza y sabe que la están escuchando. Además, la oración establece un silencio de la angustia y el alma siente que se está asomando hacia una fuerza superior.

Durante la oración utilizamos la voz para trasmitir nuestros contenidos interiores y esa forma sutil de traducción de los sentimientos se une con el poder de la voz al poder de la oración, creando un núcleo de energía capaz de trasformar la vida y el destino.

Se creería que todas las personas rezan bien, pero no es así. Las oraciones deben ser positivas, y en medio de su dolor, mucha es la gente que llena su oración de sentencias negativas, como por ejemplo:

" Ángel mío, no creo que puedas ayudarme pero por las dudas, te pido que..."

Así solamente estaremos negándonos de entrada cualquier posibilidad de ayuda. En este ejemplo, la oración debería ser:

"Ángel mío, sé que puedes ayudarme y por eso te pido que..."

La oración tiene que ser dicha desde una paz interior, que solo se logra teniendo convicción en ella, aún en los peores momentos que se estén atravesando.

Cuando vaya a orar, relájese, y ponga su mente en

blanco. Sienta tranquilidad, serenidad, paz interior. Deje ir de usted todos los miedos, inseguridades y malos recuerdos. Detenga el flujo de sus pensamientos. Respire profundamente y desde ese gran espacio que ha logrado internamente, deje fluir su oración.

La oración que dirija a su Ángel Guardián o a otros ángeles, no tiene que ser necesariamente una maravilla de la tradición o la literatura angélica. Si tiene en cuenta todos los conceptos anteriores, bastará con hablarle con las palabras que le dicta su corazón.

HEMOS HECHO UNA RECOPILACIÓN DE ORACIONES PARA QUE USTED SE BASE EN ELLAS PARA ARMAR SUS PROPIOS REZOS.

ORACIONES AL ANGEL GUARDIÁN

Angel santo de la Guarda,
compañero de mi vida,
tú que nunca me abandonas,
ni de noche ni de día.

Aunque espíritu invisible,
sé que te hallas a mi lado,
escuchas mis oraciones
y cuentas todos mis pasos.

En las sombras de la noche,
me defiendes del demonio,
tendiendo sobre mi pecho
tus alas de nácar y oro.

Angel de Dios, que yo escuche
tu mensaje y que lo siga,
que vaya siempre contigo
hacia Dios, que me lo envía.

Testigo de lo invisible,
presencia del cielo amiga,
gracias por tu fiel custodia,
gracias por tu compañía.

En presencia de los ángeles,
suba al cielo nuestro canto:
gloria al Padre, gloria al Hijo,
gloria al Espíritu Santo.
Amén.

■■■

Angel de Dios, bajo cuya custodia
me puso el Señor con amorosa piedad,
a mí que soy vuestro encomendado,
alúmbrame hoy,
cuídame, gobiérname.
Amén.

■■■

Angel Guardián, que velas por mi alma y por mi vida,
no me dejes y no me desampares a causa de mis
manchas.No dejes que se me acerque
el mal espíritu. Y dirígeme poderoso preservando mi
cuerpo mortal.Toma mi mano y condúceme
por el camino de la salvación.
Amén

■■■

Ángel de la Guarda, amado de Dios,
que después de haberme tomado, por disposición divi-
na, bajo tu bienaventurada guarda,
jamás cesas de defenderme, de iluminarme
y de dirigirme,yo te venero como a protector,
te amo como a custodio;

me someto a tu dirección
y me entrego todo a ti,
para ser gobernado por ti.
Te ruego, te suplico, que cuando sea ingrato para ti
y obstinadamente sordo a tus inspiraciones,
no quieras, a pesar de esto, abandonarme;
antes al contrario, ponme pronto en el recto camino,
si me he desviado de él;
enséñame, si soy ignorante;
levántame, si he caído; sosténme, si
estoy en peligro y condúceme al cielo para
poseer en él una felicidad eterna.
Amén.

Angel de la paz, Angel de la Guarda,
a quien soy encomendado,
mi defensor, mi vigilante centinela;
gracias te doy, que me libraste
de muchos daños del cuerpo y del alma.
Gracias te doy, que estando durmiendo, me velaste,
y despierto, me encaminaste;
al oído, con santas inspiraciones me avisaste.
Perdóname, amigo mío, mensajero del cielo,
consejero, *protector y fiel guarda mía;*
muro fuerte de mi alma,
defensor y compañero celestial.
En mis desobediencias, vilezas y descortesías,
ayúdame y guárdame siempre de noche y de día.
Amén.

Angel de la Guarda, *dulce compañía*
sé mi amparo tanto de noche como de día.
Pues ante tanta confusión yo me perdería.
Tómame la mano y guía mis pasos en la vida.

Traspásame con luz y con tu sabiduría.
Corrígeme con la dulzura de tu corazón y
alienta mi camino con fe, esperanza y amor.
Haz que donde yo vaya lleve siempre
una chispa del amor de Dios.
Amén

■■■

Angel de mi Guarda, ¡tutor mío!
Maestro, guía, defensor, sabio consejero
y fiel amigo mío, a quien estoy encomendado
por la bondad del Señor desde el momento
en que nací, hasta la última hora de mi vida,
¡cuánta reverencia te debo,
sabiendo que estás siempre
y en todas partes cerca de mí!
Te agradezco con gran reconocimiento
por el amor que infundes en mí,
por saber que eres mi asistente y mi defensor.
Enséñame, santo ángel, corrígeme, protégeme,
custódiame y guíame por el recto y seguro camino
hasta la Ciudad Santa de Dios.
No permitas que haga cosas que ofendan tu
santidad y tu pureza.
Presenta mis deseos al Señor,ofrécele mis oraciones,
muéstrale mis miseriasy ruega por el remedio
de ellas de su infinita bondad.
Vigila cuando duermo, sosténme cuando
estoy cansado, sujétame cuando esté a punto
de caer, levántame cuando me haya caído,
indícame el camino cuando me pierda,
levántame el ánimo cuando esté bajo,
ilumíname cuando no vea, defiéndeme cuando
pierda la lucha y, especialmente, en el último día
de mi vida, protégeme del demonio.
Amén

■■■

Oración de pedido al Angel Guardián

Dulce ángel de mi Señor,
te invito a participar en mi vida
como activa presencia en mi camino.
Dame una señal de tu compañía y
haz que yo aprenda el camino del amor,
la verdad y el perdón como un buen hijo de Dios.
Acepta mi ofrenda que es dada con el corazón,
Alcanzale a Nuestro Padre Eterno mi pedido
(....mencionar el pedido...)
Gracias por acudir en este momento y
asistirme en todo tiempo para cruzar
los caminos desconocidos por los que deba andar
Agradezco tu ayuda
Amén.

■■■

Oración al Angel Guardián en una dificultad

Mi Angel Guardián,
dame la mano. Voy a saltar.
Cierro los ojos. Dame la mano.
Bendito el riesgo, cuando estás tú; bendito, alabado.
Ahora no hay nada bajo mis pies. Es el vacío.
Alabado el riesgo, cuando estás tú; alabado, bendito...
Ya, ya me apoyo. Se fija el pie.
Descansa el cuerpo: hemos llegado.
Pero no retires la mano.
Amén

■■■

Oración contra el temor

Ángel de la Guarda, protégeme del temor.
Alivia mi miedo. Dame fuerzas para enfrentarme
a lo desconocido y a lo conocido,
que haya luz donde hay sombras
que haya paz donde hay temor
que haya valor donde hay miedo.
Dame Ángel Custodio, la fuerza de mil leones
para enfrentarme al lobo del mal.
Dame luz para alumbrar el camino del bien.
Dame mil escudos para protegerme de eso
o de esos que quieren destruirme.
Muéstrame cómo ser valiente,
para limpiar mi corazón de temores y fracasos.
Guíame porque tú eres el mensajero de la luz,
para que mi corazón se purifique del miedo
y pueda encontrar el amor, la alegría y la felicidad
Dios, permite a tu mensajero mi Ángel de la Guarda,
que me asista en todo momento,
que me sostenga en medio de la adversidad
para que el temor no sea ni siquiera una sombra.
Alabado sea el señor en nuestros corazones.
Amén

Oración para pedir un milagro al Angel Guardián

Ángel del Señor,
se tú el mensajero del milagro que espero.
Trae hasta mí el amor de nuestro Dios,
para que alivie mis necesidades físicas,
para prodigarme su compasión.

Alivia mi sentimiento de soledad,
alivia mi temor, mitiga mi angustia.
Ángel del Señor, dame el amor de mi Dios.
Ángel del Señor, alivia mi pena.
Ángel del Señor, tráeme consuelo.
Ángel del Señor, báñame de luz.
Ángel del Señor, cura mi cuerpo.
Ángel del Señor, cura mí alma.
Ángel del Señor trae hasta mi el milagro,
porque tú eres el emisario de Dios,
tú eres su alabanza,
tú compartes con nosotros la creación.
Ángel del Señor! En esta hora aciaga
trae los dones del cielo a la Tierra
y permite que se produzca el milagro,
que es la compasión del Señor,
ante este tu siervo más humilde y necesitado.
La verdad engendra verdad, y Dios es verdad.
El amor engendra vida, y Dios es vida.
El Señor crea amor y el amor es el milagro.
Amén

ORACIÓN POR LA PAZ Y LA VIDA

Ángel del Señor,
protégenos de los hombres enfermos
de avaricia y de maldad
que buscan esclavizar a los justos.
Líbranos de los deseos del demonio del exterminio.
Líbranos de las pérdidas y de la destrucción.
Líbranos de la infelicidad de la guerra.
Ayúdanos a percibir el amor que hay en el Universo
y hacernos eco de él para reproducirlo
hasta el último rincón de la Tierra.
En el corazón de la guerra sólo hay odio.

En el corazón de la vida sólo debe haber amor,
entonces, enséñanos con tu sabiduría
el verdadero camino de la vida que es el amor.
Ángel del Señor, abre nuestros ojos.
Ángel del Señor, abre nuestros corazones.
Ángel del Señor, danos humildad y gratitud.
Enséñanos a buscar la grandeza y la perfección.
Enséñanos a ser benevolentes y comprensivos
Guíanos por el sendero del amor,
que es la luz, que es la comprensión
la tolerancia, el perdón, porque de todas estas cosas
está hecha la Paz y la Paz engendra vida.
Guíanos amorosamente hacia la paz, que
por el poder del amor es capaz de resolver
y disipar todo aparente problema.
La paz es vida ahora y por siempre.
Amén

■■■

ORACIÓN A TODOS LOS ÁNGELES

Asísteme, santo Ángel Guardián,
auxilio de mis necesidades,
consuelo en mis desventuras,
luz en mis tinieblas,
protector en los peligros,
inspirador de buenos pensamientos,
intercesor ante Dios,
escudo que rechazas al enemigo,
compañero fiel, seguro amigo,
prudente consejero, modelo de obediencia,
espejo de humildad y pureza.
No nos dejen solos, ángeles
que custodian nuestras familias
ángeles de nuestros niños,
ángeles de nuestras parroquias,

ángel de nuestra ciudad,
ángel de nuestro país,
ángeles del Universo.
Amén

■■■

ORACIÓN AL ÁNGEL GUARDIÁN POR LOS HIJOS

Ángel Tutelar.
Permíteme ver a mis hijos como la más grande
de las bendiciones de Dios.
No dejes que caiga en la ira o la desilusión,
porque ellos son cuanto yo les doy, y si sólo les doy
tristeza, ellos no podrán crecer en la alegría.
Enséñame Ángel mío, el buen camino para moldearlos
con la libertad de existir, y el regocijo de vivir.
Dame confianza y esperanza sin límites,
para que pueda llenar sus corazones, y que
así mañana mis hijos sean alabanza del Señor.
Permíteme encontrar a cada momento
una alegría que sembrar en su presente,
para que mañana una semilla de ternura crezca
en sus mantos para cuantos les rodeen.
Enséñame el camino de cómo volver a ser niño,
para llegar a comprenderlos,
hacerlos sentir especiales y amados.
Para enseñarles que la vida puede ser
una amorosa cuna protegidos por mis brazos.
Pero sobre todo Ángel mío:
Llévame a donde los sueños son libres,
para permitirle a mis hijos ser lo que ellos quieran ser,
para no hostigarlos, ni oprimirlos con mis propios
sueños.Para que sean libres, y el día de mañana
entregar con orgullo a la humanidad sus sueños hechos
realidad.Trae ¡oh Ángel Mensajero! , todas las
bendiciones para ellos.

Porque hijo es una palabra de amor que Dios nos ha entregado¡Bendice a mis hijos!
Amén

***

Oraciones de Protección para la Familia

Ángel Guardián, Ángel mío,
ofréceme sabiduría para atender a mi familia.
Enséñame a aceptar y a conseguir.
A perdonar y a no juzgar.
A valorizarlos por sí mismos, para que me valoren a mí, por mí mismo.
Haciendo así una base para la unión,
preservando el calor del hogar, manteniéndonos juntos, para enfrentar todos los males,
todos los obstáculos.
Enséñame a amarlos cuando me hagan enojar,
porque el esfuerzo que hay en la alegría
purifica todos los errores.
Enséñame a devolver bien por mal, por si han errado su camino, no seré yo quien los condene.
Dame la paz del Señor,
para que así yo pueda tranquilizar sus corazones
y hacer mejor y más amorosa
la relación con mi familia.
Enséñame a dar sin esperar recibir, para que así la sorpresa del regalo de su amor sea aún mayor.
Enséñame a prodigarme por completo
para que mi familia sienta que les pertenezco
en la alegría y el desinterés y el desprendimiento.
Vuelca sus corazones hacia mí,
para que mi amor no se pierda en un desierto
y para que cada día con mi familia,
sea el más verde jardín para el amor.
Amén

ORACIONES PARA ABRIR EL CORAZON AL AMOR

Ángel de la Guarda,
que me fuiste asignado aún antes de nacer,
rompe los cristales que endurecen mi alma,
muéstrame el camino del amor,
disuelve el mal que me condena a ser
alguien sin fe y sin amor.
Ayúdame a recuperar a mi niño interior,
ese que jugaba contigo cuando aún el mundo
no me había contaminando.
Amén.

RITUALES ANGELICOS

El templo de invocación, con todos sus elementos, su absoluta concentración y convicción, más la oración adecuada, constituyen todas las partes que se necesitan para un ritual angélico.

Sin embargo, para demostrarle a su ángel que su objetivo es realmente deseado, sincero, y muy preciado para usted, debe agregar al ritual elementos que lo comprueben. Antes de la invocación, o en el mismo momento, escriba detalladamente lo que quiere; por qué lo quiere; por qué cree que eso que está pidiendo, y aunque fuere algo material, contribuirá a su crecimiento espiritual; cómo lo que está pidiendo podrá ayudar a otras personas además de usted, etc. Debe agotar todas las justificaciones posibles. Y luego leerlas en voz alta y guardar esa petición escrita para siempre. El guardarla le permitirá releerla cada vez que flaquee en su esperanza hasta que se cumpla; y, una vez cumplida, para no olvidar cuál era y es su objetivo.

Puede realizar rituales sobre cualquier tema: amor, salud, familia, trabajo; pero la condición es tener una absoluta seguridad sobre lo que solicita a su ángel. Muchas veces, al escribir exhaustivamente en un papel su objetivo, verá que, en realidad, no es eso lo que desea. Y esa definición, también estará sugerida a su alma, por su ángel.

Recuerde que usted puede invocar tanto a su Ángel Guardián como a otro ángel cuyos dones sean específicamente lo que usted necesita peticionar.

Ritual para pedir el trabajo de sus sueños

Este es un ritual para los que no tienen trabajo o para los que buscan algo distinto o mejor.

Si usted tiene trabajo, primeramente debería contestarse afirmativamente a estas cuestiones: si es una buena ocupación pero no es para lo que usted nació; si ya no le produce placer porque llegó a lo máximo que ese trabajo ofrece; si no tiene nada que ver con su vocación; si no lo hace crecer como persona.

La oración es una de las formas más eficaces para que una persona se contacte con su ángel de la Guarda.

Una vez que conteste sí a esta serie de cuestionamientos íntimos, o si directamente, no tiene trabajo, haga lo siguiente:

1. Escriba en un papel el trabajo de sus sueños. No se limite pensando que usted no podría conseguirlo o que es demasiado para usted. Escríbalo con confianza y seguridad, describiendo en detalles todo lo que usted desea: tipo de trabajo, ambiente laboral agradable, cargo a ocupar, remuneración (no sea tímido, pida lo suficiente), etc. No se olvide de escribir todos los detalles de sus sueños.

2. Diríjase a su templo de invocación, encienda las velas y los inciensos, encienda el equipo de música y haga el ejercicio de relajación que lo lleve a la conexión con el ángel.

3. Una vez conectado, lea en voz alta lo que ha escrito.

4. A continuación, diga una oración de agradecimiento al ángel invocado, por su ayuda para lograr el trabajo de sus sueños.

5. Guarde el papel debajo del plato donde está una de las velas. Espere en el lugar hasta que se consuma.

6. Repita esta invocación durante 7 días.

7. Guarde el papel y espere. Su ángel ya está coordinando todo para que usted se dirija a su meta. Escuche sus consejos, esté atento a sus señales.

Este ritual para conseguir el trabajo de sus sueños es también una guía para otros rituales de petición. Según el tema, cambie su cuestionamiento interno para primeramente asegurarse de que su petición es realmente lo que desea, y luego escriba en un papel todos los detalles de su objetivo.

Otros rituales con el Angel de la Guarda

Del perdón: nada mejor que nuestro ángel personal para reconciliarnos con los demás. Debe hacer lo siguiente:

1. Encienda sobre un altar casero tres velas: una rosa, una blanca y unaceleste formando, cada uno, el vértice de un triángulo.

2. Escriba, en un papel, el nombre de la o las personas con las cuales quiere reconciliarse y rodéelo con un círculo hecho con tinta dorada.

3. Ponga el papel entre las tres velas encendidas y ore así:

Angeles custiodios, seres de luz,
díganle a mi Pdres que quiero ser
Uno con El y seguir el camino que
me llevará a su Gloria.
Irradien amor en mi coracón
para poder ver a (nombre a la o las personas)
y a mí mismo con el verdadero amor,
que todo lo sabe, que todo lo puede
y que todo lo persona.
Amén

No olvide que realizar todos los días buenas acciones, alejarse de la ira, pensar en los demás y no solamente en usted, son cosas que elevarán su nivel de conciencia. Así se pondrá en una frecuencia más cercana a los ángeles y por lo tanto, podrá percibir mejor su guía.

CAPITULO 5

CARTAS ANGELICAS: EL MENSAJE DE LOS SERES CELESTIALES

"Angel santo de la guarda,
Compañero de mi vida,
Tú que nunca me abandonas,
Ni de noche ni de día."

Existe otra manera de acercarnos a los consejos de nuestro Ángel Guardián y es a través de cartas.

Las cartas de Ángeles son mensajes que nos guían para mejorar nuestra salud espiritual, física, y emocional, tomando conciencia de la realidad cotidiana.

No debe, de ninguna manera, ser tomado como un juego aunque parezca que elegirá cada día una carta por azar. El azar no existe en la elección de una de estas cartas, sino la intuición, que no es más que la dirección que su Ángel Guardián le dará a su mano para elegir el mensaje que usted necesita en ese preciso momento en que la tomó, para meditar y así destrabar los bloqueos de su alma.

INSTRUCCIONES PARA LA UTILIZACIÓN DE LAS CARTAS DE LOS ÁNGELES

Usted tiene dos maneras de utilizar las cartas que le brindamos en este libro:

• Abra el libro, cada mañana, en el capítulo que contienen las cartas. Luego, cerrando los ojos, elija una de las páginas y con su dedo índice señale una parte de la hoja. Luego, con los ojos abiertos, lea el mensaje que su dedo ha señalado. Medite sobre el mensaje que su Ángel Guardián le acerca.

• Fotocopie las hojas que contienen las cartas, luego recorte a cada una por sus bordes y péguelas sobre cartulinas del mismo tamaño. Así obtendrá un mazo de cartas que deberá mezclar; luego podrá elegir una de ellas, siempre con los ojos cerrados. Medite sobre el mensaje que su Ángel Guardián le acerca.

∑ Cada carta contiene un título y a continuación, el mensaje que lo amplía.

∑ Debe elegir una sola carta por día.

∑ Si cree que el mensaje de su Ángel Guardián no tiene nada que ver con lo que a usted le pasa, medite. Seguramente, hay algo que usted tiene tan oculto que no puede verlo y su ángel lo está ayudando a descubrirlo.

∑ No hay horarios para elegir la carta. Simplemente, debe ser en un momento de tranquilidad, que le permita meditar sobre el mensaje.

∑ Con estas cartas, puede ayudarse y también ayudar a un amigo o familiar.

∑ No utilice este mazo de cartas como un juego, eligiendo una y otra carta seguidamente.

La Sabiduría

Todo lo que vas aprendiendo, tienes que compartirlo, directa o indirectamente. Esa es la verdadera sabiduría.

El Descubrimiento

Todavía no has encontrado lo mejor que anida en tí. Descubrirlo te hará una persona feliz.

La Purificación

Necesitas sacar afuera la basura que ensucia tu alma. Dedícate a purificarla, solo tú puedes hacerlo.

Las Palabras

Cierra tu boca cuando no tengas nada que decir y busca el sentido de cada palabra al pronunciarla.

El Olvido

Junta todo lo que te provocó tristeza y dolor y olvídalo. No puedes cambiar lo que pasó pero puedes elegir lo que te pasará hoy.

El Caos

El camino te está llevando al caos. Puedes elegir seguir por él o doblar en el primer camino que se cruza. Estás a tiempo.

La Sonrisa

Deshecha la depresión con sonrisas. Las primeras podrán ser falsas pero darán paso a las verdaderas.

La Desactivación

El cansancio atrae las energías negativas. Debes desactivarlas dándote más tiempo para tí mismo.

La Previsión

Anticípate a lo que vendrá, eligiendo la forma en que lo quieres vivir. La previsión te permitirá llegar a un final feliz.

La Perseverancia

Termina lo que has comenzado, no importa si crees en ello o no. La perseverancia trae consigo un aprendizaje para tu alma.

El Bien y el Mal

Aprende a encontrar el bien dentro del mal. Hallar el lado positivo de una mala situación, te hará más sabio y feliz.

La Acción

Si lo has pensado y es algo positivo para tí, sin que con ello lastimes a los otros, hazlo. Pon tu pensamiento en acción.

Lo Subliminal

Esfuérzate por entender los mensajes subliminales, los que se presentan indirectamente, detrás de las situaciones y las palabras de los demás.

Los Conflictos

Desactiva los conflictos con tu comprensión sobre el pensamiento ajeno y logrando no juzgar a los demás..

Lo Atracción

Pregúntate qué cosas hay en tí que atraen a personas que no tienen nada para aportar a tu vida.

La Certeza

Si logras la certeza absoluta en Dios puedes lograr en tu vida cualquier cosa que te propongas.

El Orden

Todas las cosas deben tener un orden, y ocupar el lugar que les corresponden. Poner orden en tu vida aclarará tu mente y tu espíritu.

La Armonía

Para lograr tu armonía externa, primeramente debes trabajar intensamente creando armonía en tu espacio interior.

El Odio

Pensando todos los días en matar al que odias, te envenenas a tí mismo día tras día. No odies porque el que sufre eres tú.

La Amplitud

Si vas a considerar algo, debes tomar distancia y ver toda la situación completa. Las parcialidades te pueden llevar al equívoco.

La Dirección

Detén tu marcha y corrige la dirección de tu andar, para dirigirte directamente hacia donde quieres ir, sin vueltas.

La Generosidad

Tienes que dar sin esperar recibir nada a cambio, ni siquiera el sentir satisfacción u orgullo por haber dado.

El Pensamiento

Los pensamientos negativos son los que, finalmente, se convierten en penosas realidades. Elimínalos de tu mente.

El Amor

Deja que el amor inunde todo tu alma. No pongas condiciones ni juzgues. Disfruta porque puedes experimentarlo.

La Adicción

Salir de tu adicción es difícil pero posible. Trabaja sobre las causas que te llevan a ello y libérate de la dependencia, también a personas.

La Pareja

Dios ha hecho concebirte a tí y a tu perfecta pareja. Si todavía no la encontraste, búscala, porque esa persona también te está esperando.

El Miedo

El miedo es una cadena que te impide caminar, progresar y crecer. Desata los nudos y camina libre de miedos.

El Juicio

Si juzgas, te juzgarán. Suaviza tu juicio sobre la gente y sobre todas las cosas y tu vida se verá enriquecida.

La Pasión

La pasión es un motor que te impulsa, pero con la mente presa de ella puedes no ver con claridad. Piensa antes de actuar apasionadamente.

La Libertad

Serás libre cuando no pienses en recibir solamente para tí mismo y cuando te apoyes en la acción y no en la reacción.

La Guía

Debes conectarte con el alma de quien ya ha partido y guiarte por sus consejos. Medita silenciosamente y ese alma vendrá hacia tí.

Lo Imposible

Revierte lo imposible en posible, Con tu positividad y tu certeza absoluta, lograrás esta alquimia.

La Culpa

Es hora de sacarte las culpas de encima. Es un peso que llevas arrastrando y que dificulta tu marcha.

La Expectativa

Continúa tu vida, sin la expectativa que sólo sirve para volverte ansioso y angustiado. Lo que tiene que ser, será, lo esperes, o no.

La Fertilidad

Fértiles pueden ser los vientres, los estudios, las relaciones y todo lo que crea nueva vida. Es tiempo de fertilidad.

El Cambio

Si estás mirando una situación, cambia la posición desde donde la miras para completar la visión.

La Verdad

Revisa tu alma y permítela sentir lo que siente, acerca de lo que te está preocupando. Ver la verdad, te ayudará a seguir.

El Esfuerzo

Debes hacer un esfuerzo más para lograr lo que necesitas. Ese debe ser un esfuerzo intenso salido de tu convencimiento.

El Despojamiento

En tu vida hay muchas cosas superfluas y muchas otras que no necesitas para nada. Suelta todo lo que no sea esencial.

La Responsabilidad

Si quieres alcanzar tu objetivo, hazte responsable de todas las cosas que debes realizar para llegar a él.

La Dificultad

Debes superar tu dificultad para expresar la verdad de las cosas. Lo que no se dice termina carcomiendo todo lo bueno.

El Obstáculo

El obstáculo que encuentras en el camino está para que aprendas a esquivarlo. Si no lo hicieras así, se te pondrán otros, hasta que aprendas.

La Humildad

Ser humilde es nunca pensar que estás actuando con humildad. Necesitas trabajar sobre esto.

El Acercamiento

La persona que has alejado de tu vida sin una razón contundente debe volver a tu círculo. Llámala y conversa con ella.

La Energía

Pon tu energía a disposición de los demás y toma la energía positiva de ellos para formar un circuito energético que favorezca a todos.

La Sanación

Tu alma tanto como tu cuerpo, necesitan de una sanación. Tu alma se cura con acciones puras y tu cuerpo, alejándote de los excesos.

La Humanidad

Cada buena acción tuya es un aporte al cambio de la Humanidad, aunque creas que es algo personal e insignificante.

BONUS

RESPUESTAS A SUS DUDAS SOBRE LOS ANGELES

¿EXISTEN REALMENTE LOS ÁNGELES?

Los ángeles son seres espirituales que nos ayudan, nos guían, nos sanan, nos cuidan y su existencia es una verdad de fe, ya que sólo la fe puede proporcionar al Hombre la certeza de lo que no puede comprobar científicamente.

¿LOS ÁNGELES SON LAS ALMAS DE LOS SERES QUERIDOS FALLECIDOS?

Los ángeles son seres creados por Dios antes que el ser humano. Pero mientras que los ángeles fueron creados perfectos, los seres humanos fueron creados para desarrollar su perfección. Esto rechaza la creencia de algunas personas que piensan que al morir uno puede transformarse en un ángel o en un demonio, según como haya vivido. El ángel no es el alma, es un ser superior que vela por las nuestras.

¿Los ángeles tienen alas?

La forma como se representa a los ángeles es simplemente una convención artística, ya que no son corpóreos ni tienen alas ni mucho menos visten túnicas. Son centros energéticos perfectos, y constituyen todo aquello que no podemos percibir con nuestros cinco sentidos.

¿Por qué no podemos ver a los ángeles?

Los ángeles son los intermediarios de Dios, espíritus puros, energía celestial, creados como seres inmaterializados. Su vibración es muy alta y por lo tanto, tan diferente a la del ser humano, que nos es imposible visualizarlos a menos que ellos mismos decidan corporizarse en algún momento y con determinado propósito. Son fuertes centros energéticos y a lo sumo, en algún momento de profunda concentración, podremos percibir su luminosidad.

¿Dónde están los ángeles?

Vibran alrededor nuestro .De tal manera, sea cual fuere su religión, usted vive su vida rodeado de ángeles, de seres perfectos, y especialmente de su Ángel Guardián, que fue designado su protector en el momento en que usted fue concebido y usted él lo acompaña en absolutamente todos los momentos de su existencia. A este ángel también se lo denomina "Ángel de la Guarda" o "Angel Custodio".

¿Qué funciones cumple el Angel Guardián?

Nuestro Ángel Guardián tiene una misión asignada por Dios y no abandona nunca su tarea. Así, nos acompaña por la vida, cuidándonos de los peligros terrenales tanto como los del alma, del cuerpo y de nuestras relaciones. Está a nuestro lado incondicionalmente y si pecamos, ni eso lo hace desprenderse de nuestro lado.

Es todo amor, aunque no creamos en él; es paciente, aunque tardemos toda una vida en aceptar su guía; es constante, aunque nos equivoquemos una y otra vez; es sabio porque posee la inteligencia divina y resume en él, todo lo que necesitamos para el paso por el mundo; porque nuestro Ángel Guardián ha sido creado perfecto.

¿Cómo se logra la ayuda del Ángel Guardián?

Nunca le faltará la ayuda de su Ángel Guardián ni de cualquier otro ángel. Pero estará más conectado con él y podrá seguir fielmente su guía si usted vuelca su existencia a una espiritualidad profunda, adentrándose en la ayuda humanitaria y construyendo su vida dentro de los caminos de la bondad. Esto significa, ni más ni menos, la elevación de su alma hacia la perfección de Dios. Ese el objetivo primitivo de los ángeles que se manifiesta en su ayuda y protección.

¿Por qué a veces nos pasan cosas terribles si el Angel Guardián nos cuida siempre?

Si mi Ángel Guardián me ha cuidado de muchos peligros y problemas y yo no aprendo de mis errores, y vuelvo a reaccionar de una manera incorrecta, no podrá evitar la Ley de la Creación. En nuestras vidas,

Cuando se adquiere un contacto fluido con el Angel Guardían, también se alcanza una más sabia observación de la vida y las relaciones con los demás.

todo lo que se nos presenta es una prueba a pasar. Si desoímos los consejos de los ángeles y caemos en el error, el mismo tipo de problema se presentará una y otra vez hasta que aprendamos la lección. Por supuesto, muchas veces no la aprendemos y entonces, viviremos una vida entera quejándonos de "nuestra mala suerte" y de que "a mí siempre me pasa lo mismo". Y claro, a veces, las pruebas implican peligro de vida, y si insistimos en el error, pagaremos el precio.

¿Los delincuentes tienen un Ángel Guardián?

Los ángeles están siempre a nuestro servicio para protegernos y guiarnos, aún junto a quienes no creen en ellos y también junto a los que viven delinquiendo, y alejándose cada día más de la Luz. Una mala acción es un velo que cubre al ser humano, y si las repite, el velo cada vez se irá espesando, dejándolo en la total oscuridad. Desde allí, no se puede casi nunca sentir la guía que le acercan los ángeles.

Pero el mal no es privativo sólo de los delincuentes. Nosotros mismos, personas consideradas "normales", vivimos en una continua elección de optar por el mal o por el bien. Por ejemplo, el juzgar, el criticar, el divulgar falsedades, decir mentiras, la ira, son formas del mal. Una tras otra, se nos presentan situaciones donde hay que decidir cómo accionar, según nuestro libre albedrío, y siempre hay un ángel a nuestro lado diciéndonos cómo elegir la mejor opción, y tratando de salvarnos de caer en el mal.

¿CÓMO SE CONTACTA A LOS ÁNGELES?

En un alto estado de conciencia, el contacto con los ángeles se convierte en algo cotidiano; pero cuando existen razones para reforzar su ayuda, cuando tenemos algo especial para pedirle que acuda en nuestro auxilio, debemos invocarlos.

Ya en ese estado óptimo de conexión, establecerá una capacidad perceptiva mucho más sutil que lo llevará a escuchar claramente a su ángel. El desea también contactarse con usted, y ese deseo mutuo hará que hasta sienta físicamente su guía. Muchos hablan de sentir escalofríos, cosquillas en el cuello y hasta de que perciben perfumes cuando sus ángeles les indican algo. Son personas que se encuentran en ese estado de percepción elevado que usted tiene que comenzar a buscar.

¿QUÉ SON LOS "COROS ANGÉLICOS"?

Así se llama a los nueve órdenes de ángeles: Ángeles, Arcángeles, Virtudes, Potestades, Principados, Dominaciones, Tronos, Querubines y Serafines.

Estos órdenes están divididos en jerarquías, según su proximidad a Dios:

JERARQUIAS	ANGELES
Primera Jerarquía:	Serafines, Querubines y Tronos
Segunda Jerarquía:	Dominaciones, Virtudes y Potestades
Tercera Jerarquía:	Principados, Arcángeles y Ángeles

La división de estas jerarquías de ninguna manera le otorga a unos más importancia que a otros, sino que establece una vibración más sutil a medida que su ubicación se acerque al Ser Supremo. De acuerdo a esto, el primer paso de la ascensión de nuestras almas en el camino a la perfección podría ser llegar a comunicarse con la tercera jerarquía de los coros angélicos; y las almas muy evolucionadas, como las de los santos, ya estarían en contacto con un estrato superior.

APENDICE

COMO INVOCAR A LOS ARCANGELES PROTECTORES

Los ángeles son emanaciones súper-lumínicas de Dios, todo amor. Por eso, saben mejor que nadie lo que cada persona siente en el fondo de su corazón y cómo: reparar heridas entre familiares; unir almas gemelas; abrir caminos de paz entre nuestros compañeros de trabajo, vecinos o amigos; y brindar la ayuda necesaria para que el amor triunfe en la Tierra.

Así como todos los seres humanos están íntimamente conectados, también lo están las diferentes jerarquías angélicas. Ni un cabello se cae de la cabeza de una persona sin que Dios o su corte angélica lo sepa. Por eso, muchas veces, se puede pedir al ángel de la guarda de cada uno que se una a otros seres superlumínicos para potenciar nuestros pedidos y deseos. El ángel de la guarda puede contactar a los diferentes ángeles custodios existentes o pedir ayuda a sus "hermanos mayores", los arcángeles. Si desea que, junto a su ángel de la guarda, se alinee un arcángel protector, realice alguna de las protecciones que le proponemos, según lo que necesite.

Hay que tener en cuenta que cada cual tiene una misión y que se lo debe invocar haciéndole el pedido y la oración correcta.

ARCÁNGEL SAN MIGUEL

El Arcángel Miguel, incansable luchador contra el mal. Comanda huestes de ángeles celestiales para restablecer la paz y desterrar la maldad sobre la tierra.

Satanás, haciendo alarde de su poder, enfrentó a San Miguel gritando: "¿Quién como yo?", a lo que el Arcángel de la luz le respondió: "¿Quién como Dios?"; por eso su nombre: Miguel.

Su celebración es: el 29 de septiembre.

Nombre original: Mikeiel

Significado de su nombre: en hebreo significa "el que es como Dios". Miguel lucha contra los demonios, desafía a quienes están poseídos por el diablo o tienen malas intenciones, y ayuda a las personas a abrirse a nuevas formas de pensar y a tener el coraje de enfrentar nuevas experiencias espirituales.

Día en su honor: domingo

Sus colores: rojo y azul

Propicia: valor ante la adversidad, custodia y protección.

Lucha contra las injusticias y la soberbia. Su lugar está al lado de los más humildes, de los niños y los desamparados. De inteligencia supranormal.

Velas: azules para justicia, rojas para fortaleza.

RITUAL

Coloque carbones encendidos en un cuenco, ya que este arcángel representa el elemento Fuego.

Luego, encienda una vela roja y una verde, y ore diciendo:

"Arcángel Miguel,
corta con tu espada flamígera
toda maldad que pueda perjudicarnos
a [nombrar persona o personas]
y enciende en nosotros
la llama del amor eterno".
Amén

ORACIÓN

San Miguel Arcángel, defiéndenos
en la lucha, sé nuestro amparo
contra la perversidad y las acechanzas
del demonio. Que Dios humille su soberbia.
Y tú, Príncipe de la Milicia Celeste, arroja al
infierno a Satanás y demás espíritus malignos
que vagan por el mundo para perdición de
las almas.

Amén

INVOCACIÓN

Mikael, que trabajáis para el resplandor
de la verdad, que vuestra protección permanezca
conmigo, la recibiré como un privilegio,
siempre respetando los principios de tus enseñanzas.
Permitid que camine siempre con dignidad,
apartad de mí las ideas perversas,
haz de mí un amigo que sepa discernir,
comprender y nunca juzgar.

ARCÁNGEL JOFIEL

La forma como se representa a los ángeles es simplemente una convención artística, ya que no son corpóreos, ni tienen alas, ni mucho menos visten túnicas. Son centros energéticos perfectos y constituyen todo aquello que no podemos percibir con nuestros cinco sentidos.

El Arcángel Jofiel, uno de los siete arcángeles que están en presencia de Dios desde la Creación. Se invoca su protección en momentos en que necesitamos claridad mental, iluminación y estabilidad.

Nombre original: Jophiel

Significado de su nombre: su nombre significa "La belleza de Dios".

Día en su honor: lunes

Sus colores: amarillo y oro

Propicia: aciertos ante las dudas, conocimiento y elocuencia. Es el ángel del Paraíso y el patrono de los artistas. Ayuda para que la gente pueda entenderse en paz y armonía. Mensajero de secretos del corazón.

Velas: amarillas para progreso material y espiritual; naranjas para aceptación social.

RITUAL

Colocar en el altar una vela blanca, un clavel natural blanco, una biblia abierta en algún pasaje que nos guste, una varita de incienso de sándalo, de rosa de mirra o de limón, y una medallita o imagen del Arcángel. Opcionalmente, se pueden poner piedrecitas de colores y el talismán y la ofrenda correspondiente al ángel. También, se puede colocar una imagen del Arcángel

Ya que tenemos listo nuestro altar, prendemos la vela y el incienso y, estando de pie, ponemos nuestras manos sobre él, con las palmas hacia abajo y repetimos la oración que está a continuación:

DESPEDIDA DEL RITUAL

"Agradezco a todos los seres espirituales, elementales, ángeles y seres de luz que siempre me apoyan, protegen y guían con su infinita sabiduría, su presencia aquí y con la respuesta tan gentil a mi llamado. Ahora, id y cumplir con sus tareas asignadas, después, regresad a los sitios a los que han sido asignados por la Divina Presencia de Dios creador de nuestro Universo. Gracias".

ORACIÓN

¡Oh!, sabio, radiante, esplendente,
amado Arcángel Jofiel, nuestras mentes
y corazones están ávidas de penetrar en
los laberintos insondables, misteriosos de
la sublime ciencia del conocimiento de la
divinidad, de la potestad, del espíritu del
Señor Dios que nos creó, que nos guía
y nos ama desde la cuna al ataúd.
Tú, amadísimo Arcángel Jofiel, ilumina
nuestra senda con la luz de la eterna
sabiduría, líbranos de la amenaza de la duda
y la incomprensión, nutre nuestro espíritu con
la cuota indispensable de sabiduría que nos
conduzca seguros al edén prometido a los justos.

Amén

Arcángel Chamuel

El Arcángel Chamuel brinda su apoyo hacia aquellas personas que se encuentran solas y con falta de amor y respeto. Lleva compasivamente a las personas al reencuentro y la paz. Protege contra la envidia y elimina toda sensación de amargura.

Nombre original: Shamuel

Significado de su nombre: significa "la bondad de Dios " o "Rayo de Dios".

Día en su honor: martes

Sus colores: rosado y naranja

Propicia: protección contra celos y envidias. Ayuda a vencer viejos rencores. Protege a los enamorados.

Velas: blancas para protección, rosas para el amor.

RITUAL

Encienda sobre un altar casero tres velas: una rosa, una blanca y una celeste formando, cada una, el vértice de un triángulo.

Escriba, en un papel, el nombre de la persona que ama y rodéelo con un círculo hecho con tinta dorada.

Ponga el papel entre las tres velas encendidas y ore así:

"Ángeles custodios, seres de Luz,
irradien amor en mi corazón y en
el de mi amado [nombrarlo] *para*
poder vivir unidos para siempre
en el amor."

Amén

INVOCACIÓN

Tres rosas blancas, una copa de vino y un vaso con agua bendita, e invoque a Dios así:

Señor mío, Jesús, ayúdame.
Mira la situación que afronto en este momento.
Ayúdame porque, sin ti, no soy nada.
Jesús, perdóname si hice daño a mi prójimo,
si no valoré lo que esa persona hizo por mí,
perdóname, señor, tú lo sabes, estoy muy
abandonado, siento que se me oprime mi corazón.
Ayúdame por favor, requiero que me asistas
con mi ángel, por lo que declaro y
conjuro al Arcángel Chamuel, y a las legiones
celestiales y a las potencias divinas en el
universo, que se me abran las puertas;
señor mío, tú eres mi salvador y mi redentor,
te proclamo como mi protector y pido a
mi ángel y a mi Arcángel, pero te pido
con humildad.

ORACIÓN

Querido Arcángel Chamuel,
te amo y te bendigo. Y te ruego
que me mantengas sellado en un
pilar de llama rosa de amor y
adoración a Dios hasta que se haga
contagiosa a toda la vida que yo
contacte hoy y siempre.
¡Te doy las gracias!

Amén

Arcángel Gabriel

Gabriel, el ángel que anunció a María su inmaculada concepción, ayuda a las mujeres para que queden embarazadas y protege sus meses de gestación. Reúne y pacifica a las personas distanciadas, torna apacible el hogar, interviene para apaciguar a las personas enojadas.

Su celebración es: el 24 de marzo

Nombre original: Gabriel

Significado de su nombre: en hebreo, "hombre de Dios", y es el encargado de anunciar los planes y acciones de Dios.

Día en su honor: miércoles

Sus colores: blanco, plata y celeste

Propicia: ahuyenta la falsedad. Ayuda a ser constantes. Atrae alivio ante la aflicción amorosa. Atrae las buenas compañías. Protege a las embarazadas

Velas: rosas para sentimientos, familia; blancas en caso de ayuda

RITUAL

Coloque en el altar un cuenco con agua, su elemento, encienda una vela azul, una naranja y rece:

"Arcángel Gabriel,
tu nombre significa
'Dios es mi fuerza'.
Tú, que eres el mensajero y portavoz de Dios,
Anúnciame buenas nuevas para
[nombrar a quien corresponda o a uno mismo]
Y cúbrenos de tus 140 pares de alas
Para proteger nuestra vida."
Amén

Oración

¡Oh!, Dios, que entre todos los ángeles elegiste al Arcángel Gabriel para anunciar el misterio de tu Encarnación; concédenos benignamente que los que celebramos su festividad en la tierra, experimentemos su patrocinio en el Cielo.

Amén

(Aquí se pide la gracia que se desea)

Invocación

Gabriel, Príncipe y Señor de la visión del mundo, haced que todos los sentidos de mi organismo sean siempre un espejo de la ley Universal de Dios. Interceded, a través de mi ángel guardián, para que mis pedidos se dirijan al cielo, con la fuerza con que hiciste el anuncio a Nuestra Señora.

Gabriel, Príncipe Divino, yo os saludo. Transformador de la naturaleza, haced que mi cuerpo y mi espíritu acumulen la luz de vuestra sabiduría. Hacedme un ser invisible, contra mis enemigos, violencias y peligros.

Arcángel Rafael

El Arcángel Rafael es el protector de los enfermos, su auxilio está en todo momento que haya enfermedad, dolor o aflicción. Protege a los matrimonios bendecidos y cuida de la felicidad en los hogares. Sus ángeles rodean los centros de salud. Es el ángel de la sanación.

Su celebración es: el 24 de octubre.

Nombre original: Raphael

Significado de su nombre: en hebreo, "Dios ha llegado". Ayuda a los espíritus creativos.

Día en su honor: jueves

Sus colores: tonos de verde y blanco

Propicia: curación, verdad, optimismo. Vence la falsedad. Presente en lugares en que se necesita su auxilio en caso de dolor o enfermedad

Velas: verdes para sanación física, blancas para sanación espiritual.

Ritual

Coloque una campanilla, símbolo del aire y hágala sonar durante el ritual. Encienda una vela amarilla y una púrpura, y ore diciendo:

"Arcángel Rafael, sanador de los enfermos,
aleja de mí las penas, confórtame en mis
soledades, ayúdame a sanar mi cuerpo,
mente y alma de los sufrimientos
producidos por sentimientos enfermos.
Haz de mí una persona sana, capaz de amar
y de ser amada."

Amén

Oración

Glorioso Arcángel San Rafael,
medicina de Dios, que guiaste a Tobías
en su viaje para cobrar la deuda de Gabelo,
le preparaste un feliz matrimonio y devolviste
la vista a su anciano padre, guíanos en el
camino de la salvación, ayúdanos en las necesidades,

haz felices nuestros hogares y danos la visión de Dios en el Cielo.

Amén

INVOCACIONES

¡Raphel, Señor que iluminas mi inconsciente!
Foco de la verdad de todo el universo, iluminad mi vida con un pequeño rayo de sol proveniente de vuestra enorme llama de luz;
Haz de mí un portador de vuestra santidad, transmitidme la seguridad para curar todos los males materiales o espirituales, conscientes o inconscientes.

Dadme humildad y sabiduría para ayudar a todos los que las necesiten o sufran, guardadme del orgullo y de la arrogancia.
¡Oh, Príncipe Raphael! Hacedme vuestra inspiración, tornando así mi espíritu elevado y exaltado, por encima de todas las cosas.

Liberadme de la ignorancia y de la mediocridad, no permitáis que los injustos venzan a los justos.
Hacedme operar vuestra voluntad, siempre de acuerdo con la conciencia y la unión con Dios.
¡Oh, Príncipe Raphael! Te agradezco por atender a mis pedidos, siempre por la victoria de la luz.
Salve, ¡Oh, Príncipe Raphael!
Amén

Arcángel Uriel

Uriel, el Arcángel que cuida las tierras y los templos de Dios. Su misión es la de alcanzar favores a los seres humanos que pasan por etapas de duros aprendizajes en el destino. Cuida de su integridad y alivia a quienes se fatigan con el trabajo diario.

Nombre original: Uriel

Significado de su nombre: en hebreo quiere decir "fuego de Dios" y ayuda a cumplir los objetivos y misiones de nuestra vida proveyéndonos de ideas transformadoras.

Sus colores: tonos dorados, rojos, celeste y blanco.

Propicia: canaliza energías de abundancia. Proveedor de gracias espirituales y terrenales. Ayuda a que se produzcan cambios rápidos. Atrae la buena suerte y la opulencia bien merecida.

Velas: doradas o amarillas para paz y armonía, rubí para trabajo.

RITUAL

Para invocarlo, coloque una piedra, que corresponde a la Tierra; tómela entre sus manos durante el ritual. Encienda una vela amarilla, una roja y ore:

"Arcángel Uriel, fuego de Dios,
únete a mi ángel guardián
para quemar todo lo malo,
enseñarnos el camino y protegernos de
nuestros propios demonios internos,
para que podamos vivir eternamente
en la gracia de Dios".
Amén

Oración

¡Oh!, Dios, que, con inefable
providencia, te dignas enviar a
tus santos ángeles para
nuestra guarda,
accede a nuestros ruegos y
haz que seamos siempre defendidos
por su protección.
Señor, que nos confías a tus Ángeles
para que nos guarden en todos
nuestros caminos, concede, por
intervención de tu glorioso Arcángel
San Uriel, nos veamos libres
de los peligros presentes
y asegurados contra toda adversidad.
Glorioso Arcángel San Uriel,
poderoso en fortaleza,
imploro tu continua custodia para
alcanzar la victoria
sobre todo mal espiritual o temporal.
Protector mío, concédeme la
gracia que te solicito:
[se pide la gracia deseada],
si es conveniente para el bien
de mi alma; acompáñame y
guía todos mis pasos hasta alcanzar
la vida eterna.

Amén

ARCÁNGEL ZADKIEL

La influencia de Zadkiel se hace sentir en el momento en que estamos transitando por situaciones penosas, ya que su misión es la de ayudarnos a llevar nuestras cargas espirituales. Desata nuestros encadenamientos que impiden nuestra realización en el amor y la verdad.

Nombre original: ZaphKiel

Sus colores: violeta, fucsia, blanco y lavanda

Propicia: ayuda a que seamos capaces de perdonar. Otorga protección a los niños. Transmutaciones. Disminuye los poderes exagerados de algunas personas. Balance. Misericordia. Compasión. Arrepentimiento.

Velas: violetas para problemas amorosos, rosas para la paz.

RITUAL

Colocar, en el altar, una vela blanca, un clavel natural blanco, una biblia abierta en algún pasaje sagrado que le guste, una varita de incienso de sándalo, rosa mirra o limón, y una imagen de su ángel de la guarda y del Arcángel.

"*Escúchame, Zadkiel, a ti te invoco, soy*
[nuestro nombre]
y, tal como lo he estado
solicitando, quiero que el fruto de
mi corazón, mi
[hijo, sobrino, etc.]
querido sea, cada día, un poco más feliz,
por lo que pido que lo guíes por el camino del bien.
Te pido que cuides siempre de mi
[hijo, sobrino, etc.]
para que sea un ser de bien y
pueda ayudar a quienes lo necesiten.
Sello mi petición con el agradecimiento
que llena mi corazón ante tu ayuda."

Dejar consumir la vela y el incienso.

ORACIÓN

¡Oh!, Señor, acudimos confiados
a Tu Divina potestad para que, en
mérito a Tu infinita muestra de amor
de Padre y Protector, dispongas que
el Arcángel Zadkiel proteja como,
ayer, hoy y siempre a la indefensa
humanidad, especialmente a los niños.
Que el espíritu maligno sea definitivamente
aniquilado y que el amor reine entre nosotros,
así como Tu amor se nos manifiesta
pleno e inagotable.

Amén

INVOCACIÓN

Yo, [diga su nombre], *te Invoco a ti,*
Ángel de la Manifestación, para mi bien y
el bien de toda la Humanidad.
Te pido que me concedas protección para
toda mi familia y el privilegio de
manifestarte de forma inequívoca para
Gloria de Dios y para testimonio de mi
fe en los ángeles.
Gracias por lo que acabas de concederme.
Amén

AYUDAS PRÁCTICAS PARA CONTACTAR A LOS ÁNGELES

Los Ángeles son, con respecto a Dios, lo que los rayos del Sol son para el Sol. Dios creó a los ángeles para que nos sirvan y nos atiendan. Su razón de ser es contestar a nuestras oraciones. Aunque vivimos en el mundo material, tenemos un vínculo especial con Dios mediante su ángeles.

Cada uno de nosotros tiene una porción de Dios, una Chispa Divina en nuestro interior que nos permite pedir ayuda a los ángeles y esperar resultados.

Los ángeles contestarán nuestras peticiones siempre y cuando lo que pidamos sea positivo, no perjudique a nadie, ni interfiera con el Plan Divino. Los ángeles quieren ser parte de nuestra vida. Están listos para ayudarnos a resolver problemas grandes y pequeños y para acercarnos a nuestro Ser Superior, nuestro Ser Espiritual o Real.

Diez pasos para comunicarse con los ángeles

▸ PRIMER PASO

Hágales un sitio en su vida

Si quiere que los ángeles se sientan a gusto, tiene que hacer que su mundo –pensamientos, sentimientos y entorno– se parezca más al de ellos.

Los ángeles se sienten cómodos con pensamientos de paz y amor, no con pensamientos de irritación y agresividad. Aíslese de cualquier distracción, quédese en silencio en su lugar favorito y comulgue con los ángeles. Simplemente, hábleles a los ángeles de sus problemas. Hable como si lo hiciera con su mejor amigo. Y escuche. Guarde silencio y permanezca a la espera de los pensamientos que los ángeles pondrán en su mente.

▸ SEGUNDO PASO

Haga las oraciones en voz alta

No es necesario que hable para que le presten atención, los ángeles han respondido a muchas oraciones silenciosas o a un intenso deseo del corazón. Pero obtendrá una respuesta más eficaz si les habla en voz alta.

Su voz tiene poder. Las oraciones habladas adoptan diferentes formas: canciones e himnos, oraciones estructuradas y sin estructurar. Se puede combinar todo esto con decretos y afirmaciones. Los decretos permiten al hombre y a Dios trabajar juntos para generar cambios constructivos. Haga sus decretos y afirmaciones en voz alta y firme.

▸ TERCER PASO

Utilice el nombre de Dios

Dios está dentro de usted y, al utilizar la energía de Dios que hay allí para dirigirse a los ángeles, ellos le pueden responder con todo el poder del Universo.

El fuego que Dios le da por ser hijo o hija, esta Chispa Divina, es el poder de crear en el nombre de Dios y de darles órdenes a los ángeles.

Cada vez que dice: "YO SOY....", *está diciendo: "Dios en mí es ....*" y así atrae hacia usted lo que dice a continuación.

▸ CUARTO PASO

Ofrezca sus oraciones y decretos todos los días

Los ángeles siempre están listos. Pero nosotros no siempre sabemos cómo contactarnos. La mejor manera es comulgar con ellos diariamente. Al hacerlo así, no solamente se ayuda a usted mismo sino que ayuda a mucha gente que no conoce. Los ángeles buscan personas que invoquen habitualmente la luz de Dios para asociarse a ellos, para lograr la curación del planeta.

Cuando encuentran a estas personas, envían Luz a través de ellas para ayudar a los que están en peligro de enfermar o de sufrir crímenes violentos o desastres naturales. Sus oraciones pueden generar enormes cambios.

▸ QUINTO PASO

Pida ayuda

Incluso, después de establecer una relación con los ángeles, tiene que acordarse de pedir ayuda cuando la necesite. Los ángeles respetan su libre albedrío. En raras ocasiones, intercederán sin que se lo pida.

Normalmente, esperan cortésmente hasta ser llamados.

▸ SEXTO PASO

Repita los decretos y oraciones

Las oraciones y decretos son más eficaces cuando son repetidos, porque, cada vez son dichos, están dando más energía de Luz a Dios y a los ángeles. Ellos utilizan esa energía como si fuera una semilla y le añaden más energía de Luz cuando van a responder a su petición.

▸ SÉPTIMO PASO

Envíe sus oraciones a la dirección correcta

Si necesita protección, llame a los Ángeles Guardianes. Si quiere arreglar una relación, llame a los Ángeles del Amor.

Los Ángeles tienen diferentes trabajos y utilizan energías de diferentes frecuencias para realizar esos trabajos. Puede llegar a conectarse de manera más íntima con los ángeles cuando llama al Arcángel cuyos ángeles están especializados en ocuparse de lo que quiere que se haga.

▶ Octavo paso

Sea específico

Los ángeles responden a los llamados con precisión y se enorgullecen de hacerlo así. Cuanto más específica sea la petición, tanto más específica será la respuesta. Mientras viva en armonía con la Fuente Universal y dedique sus energías a ayudar a los demás, las huestes angelicales lo ayudarán hasta en los detalles más pequeños de su vida.

▶ Noveno paso

Visualice lo que quiere que pase

Puede aumentar el poder de su oración manteniendo una intensa imagen mental de lo que quiere que ocurra. Además, puede visualizar una luz brillante alrededor del problema o situación. Puede ser de ayuda concentrarse en una fotografía.

▶ Décimo paso

Espere sorpresas

La capacidad que tienen los ángeles para responder a nuestras oraciones depende del efecto acumulado de acciones pasadas, de buenas o malas acciones de ésta y otras vidas, o sea, de nuestro karma. Los ángeles están sujetos a las leyes del karma. Cuando oramos y damos devoción a los ángeles, a veces, éstos pueden disminuir los efectos del karma, pero, a menudo, sólo pueden reducirlo.

Los Ángeles escuchan todas las oraciones, pero para que las peticiones sean concedidas deben cumplir tres condiciones:

1. No pueden interferir con el Plan que Dios tiene para su alma o para con su karma.

2. No pueden ser perjudiciales para usted o para otras personas.

3. El momento debe ser el adecuado.

La oración siempre da frutos; simplemente, tiene que saber dónde mirar.

EJEMPLOS PRÁCTICOS DE PROCLAMAS

PROCLAMA DE LA BUENA SUERTE

La Buena Suerte me cae siempre del Cielo.
Tengo éxito en todo lo que hago y las
circunstancias siempre están a mi favor.
Estoy creando nuevas y brillantes
expectativas para mi ser y para mi personalidad.

CONJURO AL PODER CELESTIAL PARA QUE ME MANTENGA PROTEGIDO/DA POR LA MAGIA Y EL PODER DEL UNIVERSO.

PROCLAMA DE LA PAZ Y LA ARMONÍA

Me siento en la bondad, en la alegría y
en la plenitud sin esfuerzo. La Paz y
la Armonía gobiernan ahora mi
vida y cualquier situación o lugar
en que me encuentre.

CONJURO AL PODER CELESTIAL PARA QUE ME MANTENGA EN LA LUZ Y EN UN ESTADO CONSTANTE DE VIBRACIONES POSITIVAS.

PROCLAMA DEL AMOR

El Amor penetra todo mi Ser y
el de los seres que quiero, y que
corresponden a mis sentimientos
en la misma medida en la que
yo les correspondo.
Nuestro mundo está lleno de Armonía.

CONJURO AL PODER CELESTIAL PARA QUE EL PERFUME DEL AMOR EMBRIAGUE NUESTROS CORAZONES Y SU LUZ VIOLETA ILUMINE NUESTRAS ALMAS.

PROCLAMA DEL AMOR Y LA PASIÓN

El Amor penetra todo mi Ser y el de
la persona que quiero y que corresponde
a mis sentimientos en la misma medida
en la que yo me ofrezco.
Nuestra relación está llena de
experiencias gratificantes.

CONJURO AL PODER CELESTIAL PARA QUE EL PERFUME DEL AMOR EMBRIAGUE NUESTROS SENTIDOS Y SU FRAGANCIA ENVUELVA DE PASIÓN NUESTRAS VIDAS.

PROCLAMA DE LA PROSPERIDAD Y LA RIQUEZA

La Prosperidad y la Riqueza vienen
hacia mi inundando mi vida y mi
hogar de Bienes espirituales y materiales.
Todo me pertenece y pertenezco a todo.
Cada día, voy a más y recibo más de la vida.

CONJURO AL PODER CELESTIAL PARA QUE EL ÉXITO Y LA OPULENCIA ME LLEGUEN EN LA FORMA Y EN LA CANTIDAD EN QUE LO DESEO.

PROCLAMA DE LA ABUNDANCIA Y EL DINERO

La Abundancia y el dinero entran en
mi vida para colmarla de todo lo
necesario de forma suficiente.
Siento en mí la Abundancia y la
calidad de vida que proporciona el dinero.

CONJURO AL PODER CELESTIAL PARA QUE LOS INGRESOS Y EL TRABAJO SIEMPRE NOS SOBREN EN EL HOGAR Y HAGAN REALIDAD NUESTRAS ILUSIONES.

PROCLAMA DE LA SALUD Y LA VITALIDAD

La Salud y la Vitalidad fluyen como
un poderoso manantial de Agua de
Vida curativa para penetrar en mi
cuerpo y en la atmósfera de cualquier
estancia en que me encuentre.
La fuerza de la Vitalidad viene hacia
mí y me hace sentir fuerte y vigorosa/o.

CONJURO AL PODER CELESTIAL PARA QUE NOS MANTENGA SANOS DE CUERPO, ALEGRES DE ESPÍRITU Y LLENOS DE VIDA PARA SIEMPRE.

PROCLAMA DE LA PROTECCIÓN DE LOS NIÑOS

Los Ángeles custodios se regocijan cuando
los niños están sanos, felices y seguros.
Protegerlos será siempre su misión.
Mis niños están Protegidos y guiados
por la Sabiduría y la inteligencia del Universo.

CONJURO AL PODER CELESTIAL PARA QUE MIS PEQUEÑOS SERES QUERIDOS, DULCE FRUTO DE MI CORAZÓN, ESTÉN SIEMPRE PROTEGIDOS Y SEGUROS.

PROCLAMA DE LA PROTECCIÓN PARA UN SER QUERIDO

Ninguna circunstancia, situación, lugar o
persona pueden ir en contra de la
fluidez Positiva de la Vida y del
Destino de quien sea parte de mi
vida y me acompañe en el sendero.
La realidad se manifiesta ante él/ella en
la forma en que le es favorable.

CONJURO AL PODER CELESTIAL PARA QUE MI SER QUERIDO SIEMPRE ESTÉ ACOMPAÑADO DE VIBRACIONES POSITIVAS DE LUZ Y SEGURIDAD

PROCLAMA DEL ÉXITO EN LOS NEGOCIOS

La Fuerza de la Creatividad fluye
dentro de mi Ser y se manifiesta a
través de mis aciertos en los negocios.
Ahora logro los fondos suficientes en
el momento en que son necesarios y
los resultados son excelentes.

CONJURO AL PODER CELESTIAL PARA QUE MIS NEGOCIOS SIGAN PROGRESANDO Y EL ÉXITO ME ACOMPAÑE EN MI AVENTURA.

Si lo desea, también usted puede inspirarse y hacer sus propias proclamas e invocaciones. Éstas tendrán un poder especial y funcionarán mejor para sus necesidades, porque son hechas a su medida por su propia inspiración.

ORACIÓN FINAL AL ÁNGEL DE LA GUARDA

Angel mío, tú sabes cómo caían
mis lagrimas, ayúdame a salir adelante
en todos los aspectos de la vida
y que la humanidad y los seres humanos
vean en mí a un amigo, a un aliado
a una persona de bien.
Querido ángel, cuídame siempre,
ayúdame a que los caminos sean sentidos
y no sueltes mi mano en cada paso
que dé en mi vida.
Ayuda a las personas que me rodean y
que están en mi camino.
Ayúdalas a salir de la oscuridad,
ángel de mi corazón.
Acude siempre para ayudarme a mí y a los míos.
Sólo sé que eres puro amor y que puedes alcanzar
la bella luz astral que deseo.

Amén